LES GUIDES
S'INSTALLER à
Londres

SAMUEL PÉTREQUIN

SOMMAIRE

Dix raisons de vivre à Londres

1 La vie culturelle

Londres est un phare culturel. Les bibliothèques, les musées, les salles de spectacles sont légion et l'on dénombre plus de 17 000 concerts par an. La gigantesque métropole vit au rythme des grandes expositions qui se succèdent tout au long de l'année tandis que la scène culturelle plus underground se renouvelle perpétuellement.

2 Les espaces verts

Les Londoniens ont la main verte. Ils adorent les fleurs, les plantes et les jardins, et leur ville le leur rend bien, avec ses centaines de parcs publics, des réserves naturelles et des milliers d'arbres. Ici, on se sent facilement à la campagne. Les espèces animales sauvages prospèrent et on croise souvent des écureuils, des renards et même des cerfs dans le merveilleux parc de Richmond.

3 Le dynamisme économique

Malgré la crise, Londres reste un poids lourd de l'économie mondiale. On y trouve les métiers les plus qualifiés et les salaires les plus élevés, mais aussi divers petits boulots. La part de la finance dans l'activité économique de la ville atteint près de 20 %.

4 Le melting-pot

On parle plus de 300 langues à Londres. En dépit d'un communautarisme marqué, les minorités ethniques y cohabitent fort bien et l'on s'intègre aisément dans cette cité qui voit défiler depuis des siècles des millions de déracinés.

6 L'excellence des universités

Le système d'enseignement supérieur britannique est l'un des meilleurs du monde. Londres accueille la plus grande partie de la population étudiante du pays dans plus de 40 établissements, dont les prestigieux University College London, Imperial College et London School of Economics.

7 Faites ce qu'il vous plaît

Les Londoniens n'aiment pas juger et il règne dans la ville une atmosphère très libérale. À l'opéra comme au pub, on ne ressent pas la moindre pression sociale. Les gens de la capitale se croisent dans une joyeuse indifférence.

8 La fête

Près d'un quart de la population du centre-ville est âgé de 25 à 34 ans et les lieux de fête ne manquent pas. Les soirs de week-end, les rues sont noires de monde, les garçons font les malins pour séduire les filles en minijupe bravant le froid, les pubs sont bondés et les boîtes de nuit ne désemplissent pas.

9 La cuisine

Londres a réussi en quelques années à tordre le cou à tous les clichés qui voulaient jeter aux oubliettes de la cuisine mondiale la gastronomie britannique. La ville compte de très bons restaurants proposant des plats raffinés de tous les pays ; la street food est variée, bon marché et de bonne qualité ; les chefs britanniques s'exportent même en France.

5 La pratique sportive

Rien de plus facile que d'exercer une activité physique. La géographie de la ville se prête à l'exercice. On court dans les parcs et le long de la Tamise, on nage dans les lidos, il y a de nombreuses pistes cyclables et les terrains de foot ne désemplissent pas le week-end.

10 Le style

L'élégance et la sobriété ne sont pas les critères les plus recherchés. Ici, ça en jette, et l'on n'a pas peur de son ombre. Les coupes de cheveux sont recherchées, les couleurs vives font oublier l'absence du soleil et tout le monde se prend pour une vedette de la fashion week. Pour les moins punks d'entre nous, les costumes de Savile Row sont toujours un must.

Londres express

Londres est une ville monde où l'on a l'impression que tout est possible.

Une capitale attachante

Il existe à Londres un vieil adage tiré d'une citation de l'auteur du XVIIIe siècle Samuel Johnson : « *Un homme fatigué de Londres est un homme fatigué de la vie.* » Eh oui, pour beaucoup de Londoniens il est inconcevable d'en avoir assez. Malgré la pollution, les inégalités sociales criantes, la circulation automobile difficile, la pluie et le vent, on ne veut pas en partir. Ou alors juste pour des vacances, avec la ferme intention de revenir.

Une ville de contrastes

Londres est une ville monde où les gratte-ciel cohabitent avec les demeures georgiennes, une ville de contrastes qui regorge de richesses mais où plus d'un million de personnes connaissent la pauvreté, une ville sans équivalent en Grande-Bretagne et peut-être même en Europe. La frénésie et l'impression que tout est possible, comme à New York, y sont plus fortes que tous les points noirs du quotidien, et particulièrement séduisantes pour les expatriés.

Bulldog spirit

Et pourtant, on aurait bien des raisons de se plaindre. Les prix de l'immobilier, à la location ou à l'achat, ne cessent d'augmenter si bien que la plupart des foyers tirent le diable par la queue et connaissent des fins de mois difficiles après avoir payé tous leurs crédits. Avoir des enfants à Londres est également une source d'ennuis considérable en raison du coût exorbitant des frais de garde et de scolarité, quand elle est effectuée dans le privé. Mais les Londoniens ne râlent pas. Ils font preuve de ce « bulldog spirit » cher à Winston Churchill, ils serrent les dents dans l'adversité, font sagement la queue sans broncher même quand les rames de métro sont pleines à craquer et continuent à avancer comme si de rien n'était. Tout simplement parce qu'ils aiment profondément leur ville, une ville qui a résisté fièrement aux bombes et qu'on pourrait passer toute une vie à explorer.

Une mégapole à la vie de quartier

Gigantesque, la ville, qui s'étend sur 1 580 km², est constituée d'une multitude de petits villages collés les uns aux autres. Il est impossible de l'appréhender et de la connaître dans sa totalité, à moins d'y être chauffeur de taxi depuis une trentaine d'années. La vie sociale s'organise à l'échelle de quartiers à l'identité très forte (Brixton, Stoke Newington, Bethnal Green, Tottenham, Chelsea, etc.) auxquels leurs habitants sont extrêmement attachés. Et avec la crise, qui réduit considérablement les budgets, on a de plus en plus souvent le réflexe local. On fait ses courses au supermarché et au marché du coin et c'est dans le pub d'à côté que l'on s'enivre le week-end : ça évite de devoir payer un taxi pour rentrer.

S'approprier l'espace public

De nombreux expatriés se plaignent de leurs difficultés à se lier d'amitié avec les Londoniens, leur reprochant de ne pas facilement ouvrir les portes de leurs domiciles. Mais cela ne fait pas partie de la culture locale. On s'invite rarement à dîner les uns chez les autres, et l'on préfère se retrouver au pub pour discuter autour d'un ou plusieurs verres. Sans doute pas autant qu'en Italie ou en Espagne, mais à coup sûr davantage qu'à Paris, la vie sociale s'organise dans la rue et non pas dans l'intimité des appartements et des dîners en ville. Il n'y a qu'à observer la cohue devant certains pubs du centre à la sortie du bureau ou les cohortes de familles affluant dans les parcs pour un pique-nique dès le retour des beaux jours pour le comprendre.

À Londres, la vie de quartier est particulièrement active. Inutile pourtant d'imaginer que votre voisin vous invitera chez lui. Le lieu de rencontre ici, c'est la rue.

Une immensité des possibles

Les Londoniens ont des horaires de travail anarchiques. Le temps partiel est bien développé et la culture des « long hours », ces journées de 10 à 12 heures, est également encore très répandue. D'où la nécessité d'avoir la possibilité de faire ses courses à des horaires tardifs ou de pouvoir siroter un cocktail ou danser jusqu'à pas d'heure tous les soirs de la semaine pour se détendre au son de toutes les musiques du monde quand le besoin s'en fait sentir. On peut aller au concert, au théâtre ou à l'opéra tous les soirs, observer les toits de la ville depuis le London Eye ou en grimpant dans le magnifique gratte-ciel qu'est le Shard, naviguer sur la Tamise, goûter à toutes les cuisines, parier sur tout et n'importe quoi, parler football pendant des heures ou encore acheter sa viande pour la semaine au marché de Smithfield à cinq heures du matin en sortant de la Fabric. Tout est possible à Londres, mais rien n'y est non plus facile. Près de 40 % des enfants de la ville souffrent de pauvreté et les boroughs de Hackney, Tower Hamlets, Newham et Islington font partie des dix plus défavorisés de tout le pays. Mais au moment de vous installer dans l'une des plus belles cités du monde, servez-vous une tasse de thé et dites-vous bien qu'il y aura une solution aux difficultés que vous rencontrerez. Comme le disent les Anglais : « keep calm and carry on ! »

Installé sur la rive sud de la Tamise, en face de la City, le Shard – ou London Bridge Tower – est l'un des emblèmes modernes de la ville, concentrant bureaux et appartements de luxe.

Dix clés pour entrer dans Londres

▶ Big Ben

Plus encore que les cabines téléphoniques, les taxis noirs et les bus rouges, Big Ben et le son de ses cloches reconnaissable entre mille symbolise Londres. Le nom de « Big Ben » est souvent utilisé pour décrire la tour de l'horloge (Elizabeth Tower) du palais de Westminster, mais il a d'abord désigné la grande cloche de 13,7 tonnes.

▶ Boroughs

On en compte 32 dans le Grand Londres (33 si l'on inclut la City of London, le cœur historique de la ville). Ils correspondent aux arrondissements parisiens. Ils sont dotés de nombreux pouvoirs et gèrent quantité de services (écoles, ramassage des ordures, services sociaux, etc.).

▶ On roule à gauche, sauf…

… sur Savoy Court, la petite rue menant au prestigieux hôtel situé sur le Strand. C'est la seule de la ville où l'on doit rouler à droite. On raconte que les autorités ont pris cette décision pour que les clients des cochers qui se rendaient au théâtre Savoy puissent accéder directement à la salle en descendant de véhicule.

▶ Patrimoine

Londres compte quatre sites inscrits au patrimoine mondial de l'Unesco : la tour de Londres ; Westminster Palace (avec Westminster Abbey et Saint Margaret's Church) ; les Royal Botanic Gardens de Kew ; Maritime Greenwich.

▶ C'est la fête

Environ 250 festivals sont organisés chaque année à Londres, parmi lesquels la plus importante manifestation de rue d'Europe, le carnaval de Notting Hill, qui attire plus d'un million de personnes au mois d'août.

▶ Une scène musicale florissante

De nouveaux musiciens émergent sans cesse de la scène londonienne et partent à la conquête du monde. Souvent avec succès : au cours des cinq dernières années, le groupe Coldplay, Adele et la regrettée Amy Winehouse, ont fait partie des musiciens ayant vendu le plus de disques dans le monde.

▶ Un métro indispensable

On se plaint beaucoup du Tube, qui vient de fêter ses 150 ans. Mais les Londoniens ne pourraient pas vivre sans lui. C'est le mode de transport le plus efficace pour se déplacer dans la ville. 1 107 millions de voyageurs l'empruntent chaque année.

▶ La Tamise

Le fleuve a joué un rôle important dans le développement économique de Londres. Ses eaux sombres et menaçantes par mauvais temps changent de visage quand le soleil brille et vous donneraient presque envie de vous baigner. Les Londoniens aiment se promener sur ses berges.

▶ Le plus haut gratte-ciel d'Europe

La « skyline » était déjà spectaculaire, le Shard l'a rendue encore plus belle. Cette épine de verre inaugurée à l'été 2012 culmine à 309,60 m. Conçu par l'architecte Renzo Piano, il abrite notamment des bureaux, des appartements de luxe, un hôtel et des restaurants.

▶ Une ville sûre

On se sent en sécurité ici. La Metropolitan Police recense cependant près de 800 000 crimes et délits par an. Londres a connu une flambée de violence qui a duré cinq jours à l'été 2011, pendant laquelle cinq personnes sont mortes et des centaines de boutiques ont été détruites.

S'expatrier à Londres

Expatriation, mode d'emploi

▶ Franchir le Channel

Il est certes parfois plus rapide et plus simple de déménager à Londres qu'au fin fond du Massif central. Et si vous n'avez pas eu le temps de tout régler avant votre départ, vous pourrez revenir sur le continent en quelques heures seulement. Pour une expatriation tout en douceur, il convient toutefois de se poser quelques petites questions et d'y répondre avant de franchir le Channel. Évidemment, un étudiant sans attache à la recherche d'un job d'appoint pour quelques mois ou un an ne sera pas confronté aux mêmes problèmes qu'une famille se lançant dans une expérience de longue durée. Quoi qu'il en soit, voici quelques thèmes importants à aborder avant le départ.

▶ Quels papiers ?

Les ressortissants de l'Union européenne ou de l'espace économique européen qui décident de s'installer à Londres n'ont pas besoin de permis de séjour ou de travail. Ils bénéficient des mêmes droits que les nationaux et doivent seulement détenir une pièce d'identité. Un passeport est cependant recommandé, notamment pour l'ouverture d'un compte bancaire sur place. Les Canadiens pourront généralement venir à Londres sans visa pour une durée de moins de six mois mais devront en demander un s'ils souhaitent y travailler ou étudier plus longtemps.

Pour plus de renseignements
> www.ukba.homeoffice.gov.uk

▶ Les impôts

Avant de partir, si vous avez déjà une adresse à Londres, communiquez-la à votre centre des impôts. Si vous avez des revenus imposables en France avant et après votre départ, vous devrez remplir deux déclarations (2042 et 2042-NR), en ligne ou en les envoyant par courrier au centre de votre domicile dans l'Hexagone. Si vous ne percevez aucun revenu de source française après votre départ, indiquez-le dans vos déclarations. Si vous possédez des biens immobiliers en France, vous devrez continuer à vous acquitter des taxes d'habitation et foncière ainsi que de l'ISF si vous y êtes assujetti. Pour déterminer où se situe votre foyer fiscal et savoir si vous devez payer des impôts en France, rendez-vous sur le site du ministère de l'Économie et des finances. Vous pouvez également prendre contact avec le service des impôts des particuliers non-résidents.

Pour plus de renseignements
> www.impots.gouv.fr
> Service des impôts des particuliers
10, rue du Centre, TSA10010,
93465 Noisy-le-Grand Cedex
☎ 01 57 33 83 00 sip.nonresidents
@dgfip.finances.gouv.fr

▶ La banque

Prévenez votre banquier de votre départ et réfléchissez à l'opportunité de garder une CB ou un chéquier pendant la durée de votre absence. Il est parfois utile de conserver un abonnement aux services en ligne de sa banque si l'on a des opérations à effectuer à distance. Les démarches pour ouvrir un compte bancaire à Londres peuvent prendre jusqu'à deux semaines. Il est donc recommandé de s'en occuper avant le départ. Quelques banques ont des guichets à la fois en France et en Grande-Bretagne et il est possible d'avoir des comptes dans les deux pays auprès du même établissement. Cela permet notamment d'éviter les frais de conversion en cas de transfert d'une monnaie à l'autre.

Le système britannique

Le système fiscal britannique est complexe et il est recommandé de lire la convention passée entre la France et le Royaume-Uni tendant à éviter la double imposition. Pour faire simple : si vous êtes employé, votre impôt sur le revenu est prélevé à la source. Les travailleurs indépendants doivent de leur côté faire une déclaration.

Les plus riches se pencheront avec attention sur le statut de non-dom, qui permet à un étranger d'être considéré comme résident mais non domicilié fiscal, et donc de ne pas être imposé sur ses revenus provenant hors du Royaume-Uni à condition qu'ils ne soient pas réintroduits dans le pays.

Pour en savoir plus sur la convention
▶www.ambafrance-uk.org/Convention-du-22-05-1968-Impots

▶ Penser au logement

Mettez-vous à la recherche de votre logement environ un mois avant votre date d'arrivée prévue. Le marché est très mobile et il ne sert à rien de s'y prendre trop à l'avance. Le plus simple est de venir à Londres pour prospecter pendant quelques jours mais l'on peut aussi louer à distance.

▶ Les inscriptions scolaires

Si vous souhaitez faire les démarches nécessaires pour inscrire vos enfants à l'école publique, il est important que vous disposiez d'une adresse à Londres pour monter votre dossier. Il est fréquent de choisir son logement en fonction de la qualité de l'établissement scolaire le plus proche. Pour se renseigner sur le niveau des écoles, consultez les rapports de l'Ofsted. Pour une scolarité dans un établissement homologué du système français, les inscriptions ont lieu généralement pendant le mois d'avril précédant la rentrée de septembre.

Pour plus de renseignements
> www.ofsted.gov.uk
> www.lyceefrancais.org.uk

" *J'ai loué un utilitaire pour emménager en Angleterre, puis pour déménager. Pour le tarif, c'était celui que l'on trouve en France, avec un petit surcoût car j'avais pris une location pour 24 heures supplémentaires le temps du voyage aller-retour. J'ai trouvé l'arrivée dans Londres simple et fluide, en comparaison avec Paris où tu es dans les embouteillages dès le périphérique. D'ailleurs, Londres n'a pas de périph, ou alors très loin, ce qui rend, je trouve, l'entrée dans la ville moins impressionnante. Il faut juste penser à l'endroit où tu vas garer ton véhicule et à la congestion charge, la taxe qu'il faut payer pour rouler dans Londres, sur laquelle il vaut mieux se renseigner avant le départ car ils ne sont ni pédagogues ni compréhensifs ! Le plus déstabilisant dans l'histoire, c'est le passage à la conduite à gauche !* "

David, 36 ans, salarié
en agence de communication

▶ Le déménagement

Un déménagement à Londres peut coûter jusqu'à plusieurs milliers d'euros si vous passez par une entreprise et que vous avez de gros volumes à transporter. De nombreux jeunes n'ayant que quelques meubles préfèrent louer un utilitaire et comptent ensuite sur la bonne volonté de leurs amis pour décharger une fois à Londres. N'oubliez pas non plus qu'il est courant de louer meublé au Royaume-Uni et qu'il peut être plus intéressant de n'emporter que le strict minimum si vous voyagez seul et pour une courte durée. Si vous décidez de faire appel à un déménageur, ne vous ruez pas sur le premier venu et faites jouer la concurrence pour essayer d'obtenir un rabais. Une fois que vous avez choisi votre entreprise, ne négligez pas l'inventaire et entendez-vous clairement sur les délais de livraison.

▶ Les animaux domestiques

Si vous comptez déménager à Londres avec vos animaux domestiques, chiens ou chats, les règles sont draconiennes : ils devront notamment être obligatoirement identifiés à l'aide d'une puce électronique, avoir subi un vermifugeage contre le ténia, être vaccinés contre la rage (dernier rappel à plus de 21 jours avant l'entrée sur le sol britannique) et être titulaires d'un passeport européen. Attention : les chiens des races pitbull terrier, tosa japonais, dogue argentin et fila brazilero sont interdits en Grande-Bretagne.

Infos pratiques

Déménageurs
- ▶ www.intlmovers.com /demenagement_international .html
- ▶ www.gallieni-demenagements. com
- ▶ www.ags-demenagement.com
- ▶ www.gentlemen- demenagement.com
- ▶ www.pickfords.co.uk
- ▶ www.allied.com
- ▶ www.excess-international.com
- ▶ www.excess-baggage.com
- ▶ libertyshipping.co.uk

Animaux domestiques
- ▶ www.defra.gov.uk (cliquer sur « Wildlife and pets »)

Les formalités administratives

▶ Les Français établis hors de l'Hexagone

Il est utile de s'inscrire au registre de Londres pour faciliter ses démarches administratives (perte de documents d'identité, copies certifiées conformes, bourses scolaires, etc.). En 2012, 119 500 Français y étaient immatriculés. Il n'est pas indispensable d'y être enregistré pour participer à certaines élections (présidentielle, législatives, référendums, Assemblée des Français de l'étranger) depuis Londres. Seule une inscription sur la liste électorale consulaire est requise. Vous fournirez des renseignements vous concernant vous et votre famille, qui serviront à entrer rapidement en contact avec vous en cas d'accident par exemple. Ce registre présente en revanche peu d'intérêt si restez moins d'un an en Angleterre.

▶ Système de santé

Dès votre arrivée, enregistrez-vous et votre famille auprès du NHS, le système de santé public. Il suffit de se rendre dans un cabinet médical pour y remplir un formulaire. Vous recevrez ensuite une Medical Card avec vos coordonnées et celles du cabinet médical où vous devrez aller pour les consultations avec le généraliste, le GP.

▶ Numéro d'assurance sociale

Le National Insurance Number permet de garantir que vous payez vos taxes et on vous le demandera lorsque vous trouverez un emploi. Vous pourrez commencer à travailler même si vous n'avez pas encore de NIN mais il faudra en faire la demande immédiatement par téléphone.

▶ Listes électorales britanniques

Tous les ressortissants des pays membres de l'Union européenne vivant en Grande-Bretagne sont autorisés à voter aux élections locales. Il se peut que des représentants des autorités du borough dans lequel vous avez élu domicile viennent frapper à votre porte pour vous inscrire sur les listes. Vous pourrez sinon le faire en ligne.

▶ Les allocations familiales

Si vous avez des enfants, vous pourrez prétendre aux allocations familiales, d'un montant de 20,30 £ par semaine pour un enfant. Prenez contact avec les services du HM Revenue and Customs pour constituer un dossier. Si l'un des parents du foyer touche plus de 50 000 £ par an, il sera taxé sur le montant perçu chaque année.

Infos pratiques

▶ **Registre des Français établis hors de France**
ambafrance-uk.org/Registre-des-francais-etablis-hors

▶ **Système de santé public**
www.nhs.uk

▶ **National Insurance Number**
☎ 0845 915 7006
www.hmrc.gov.uk/ni/intro/number.htm
Listes électorales britanniques
www.aboutmyvote.co.uk

▶ **Allocations familiales**
www.hmrc.gov.uk/childbenefit

Londres : combien ça coûte ?

▶ Très cher Londres

Vivre à Londres peut s'avérer extrêmement onéreux et, même si vous faites attention à vos finances, vous vous rendrez vite compte qu'il est difficile de ne pas finir dans le rouge à la fin du mois. Pour ceux qui décident de s'y installer dans l'espoir d'y trouver un travail, il est donc important de disposer d'une bonne réserve. Le Centre d'échanges internationaux, spécialisé dans des programmes d'échanges avec la Grande-Bretagne, recommande ainsi aux jeunes de partir avec au minimum 800 £ pour leur installation.

▶ Immobilier, école

Le principal poste de dépense est le logement, devant l'alimentation, les dépenses énergétiques, les transports et les loisirs. Pour les familles, la scolarité des enfants dans le système privé ainsi que les frais de garde des tout-petits sont particulièrement difficiles à supporter.

▶ Quel budget pour un étudiant ?

Selon les estimations des universités de la ville, un jeune étudiant s'installant seul à Londres devra prévoir entre 400 et 800 £ par mois charges comprises pour son logement (colocation, résidence universitaire, studio) en zones 1 à 3. Il faut ajouter à cela quelque 120 £ d'abonnement mensuel pour le métro et les bus en zones 1 et 2, autant pour la nourriture, 150 £ pour les loisirs et 30 £ pour les appels téléphoniques. Quelques extras (vêtements, livres) et l'on dépasse rapidement les 1 000 £ par mois.

▶ Et les familles ?

Le coût de la vie pourra varier du simple au triple selon le lieu de résidence. Le centre (South Kensington, Mayfair, Belgravia, Hyde Park) et certains quartiers huppés (Chelsea, Notting Hill, Hampstead…) sont en effet inabordables pour beaucoup de gens, contraints d'opter pour des zones périphériques. Et même en dehors de ces quartiers, se loger coûte cher. En 2012, le loyer mensuel à Londres pour un habitat de deux chambres était de plus de 1 300 £, le double de la moyenne nationale. Selon l'association caritative Shelter, il faut désormais avoir des revenus annuels de 52 000 £ par an pour être en mesure de louer un logement de ce type dans la capitale.

▶ Alimentation

Difficile, voire impossible, pour une famille de quatre de dépenser moins de 150 £ par semaine pour l'alimentation, même en faisant toutes ses courses au supermarché, où les tarifs sont moins élevés que dans les épiceries du coin de la rue, et en proscrivant le restaurant ! Les prix varient aussi d'une grande surface à l'autre. Pour schématiser, on trouve Asda et Iceland au bas de la liste, puis Tesco, Morrisons et Sainsbury's, avant Marks and Spencer et Waitrose. Les supermarchés du groupe The Co-operative sont engagés dans une démarche de commerce équitable mais proposent également des produits moins chers. N'hésitez pas à acheter vos légumes sur les marchés de quartier pour un meilleur rapport qualité-prix.

Passez à la bière !

O n trouve à Londres de l'excellent vin, provenant de toutes les régions du monde, même d'Angleterre, où la qualité est paraît-il désormais au rendez-vous. Mais si vous voulez boire des bonnes bouteilles venues de France, préparez-vous à payer le prix fort. Il est en effet très rare de trouver des crus intéressants à moins de 10 £. Tournez-vous donc vers la bière. Les rayons des supermarchés sont remplis de dizaines de variétés. Optez pour la bitter, cette bière à faible effervescence aux arômes maltés brassée dans la pure tradition anglaise. Une bouteille d'un demi-litre coûte autour de 2 £. Sinon, pensez à rapporter du vin lors de vos voyages en France ou demandez à vos amis de passage de vous en apporter. L'option vente par correspondance est une bonne solution mais il faudra payer les frais de livraison.

▶ Factures d'énergie très élevées

Les logements londoniens anciens sont mal isolés et la commission Santé et services publics de la mairie estime que près d'un quart des foyers de la ville souffre de pauvreté énergétique, un état diagnostiqué lorsque 10 % des revenus sont nécessaires pour se chauffer. Pour une grande maison sans double vitrage, il sera fréquent de payer entre 2 000 et 2 500 £ par an en chauffage. Les associations de défense des consommateurs conseillent de changer de fournisseur tous les six mois ou chaque année pour se voir proposer le tarif le plus bas (il y en a plus de 400 sur le marché !) et ainsi faire des économies pouvant atteindre 300 £ par an. Pour vous faire une idée des différents prix proposés par les compagnies d'énergie, utilisez le site très pratique et détaillé Energyhelpline.

Pour plus de renseignements
> www.energyhelpline.com

▶ La variable santé

Si vous optez pour le système de santé publique, le NHS, c'est simple, vous ne paierez rien hormis quelques médicaments, les soins dentaires et l'ophtalmologie. En revanche, la médecine privée a un coût élevé et vous aurez tout intérêt à posséder une bonne couverture complémentaire si vous souhaitez en bénéficier (cf. nos pages consacrées à la santé dans *Fait-il bon vivre à Londres ?*).

▶ Les frais de scolarité

Les frais de garde ont de quoi décourager les familles. Ils peuvent atteindre les 300 £ par semaine dans certains établissements huppés ! Préparez-vous à dépenser encore beaucoup d'argent une fois que vos enfants auront l'âge d'aller à l'école si vous optez pour le privé ou pour une scolarité dans le système français. Une année au lycée Charles-de-Gaulle coûte entre 5 500 et 6 000 £ environ et une très bonne école privée entre 15 000 et 20 000 £ (cf. *Enfance et scolarité*).

▶ Les transports

Ils ne sont pas bon marché. Un forfait mensuel pour les zones 1 et 2 vaut environ 120 £. Et plus vous habitez loin du centre, plus les tarifs s'envolent. À titre d'exemple, un abonnement pour les zones 1 à 9 coûte plus de 300 £. Une sorte de double peine pour ceux qui n'ont pas les moyens de louer dans le centre et op-

tent pour la périphérie. Les Londoniens dotés d'un véhicule personnel (deux-roues ou voiture) devront s'acquitter de leur « car tax » et y apposer une vignette. Son coût pour une durée d'un an varie de la gratuité à plus de 1 000 £ en fonction notamment de l'ancienneté du véhicule, de ses émissions de CO_2 ou de sa cylindrée (cf. nos pages consacrées aux transports dans *Fait-il bon vivre à Londres ?*).

▶ Télévision, téléphone et Internet

Comme en France, il faut payer une redevance, la TV Licence, pour avoir le droit de regarder la télévision au Royaume-Uni. Son montant s'élève à près de 146 £ par an pour un poste en couleurs et environ 50 £ pour le noir et blanc. La télévision est entièrement numérique et il faut donc posséder l'équipement adéquat (câble, satellite, antenne râteau…) pour capter les signaux. Si votre téléviseur n'est pas équipé du système Free-

view (le plus populaire en Grande-Bretagne pour la TV numérique), qui permet d'accéder à plus de 40 chaînes sans abonnement, vous pouvez acheter un boîtier (les moins chers coûtent une vingtaine de livres) à relier à votre poste. Une autre option consiste à souscrire un abonnement auprès d'un opérateur proposant des formules TV-téléphone-Internet. Les prix varieront en fonction du nombre de chaînes, de la vitesse du haut débit ou, encore, de la durée du contrat et des caractéristiques du forfait téléphonique (appels gratuits le week-end ou le soir, vers certains numéros…).

▶ Téléphonie mobile et 4G

La technologie 4G, qui permet des connexions Internet plus rapides pour la téléphonie mobile, est disponible. La concurrence entre les différents acteurs du marché est rude, faites-la donc jouer en comparant les dizaines d'abonnements possibles. Comptez entre 20 et 25 £ pour un forfait mensuel, téléphone compris, avec de 300 à 500 min de conversation, 3 000 textos et 1 GB pour l'Internet.

▶ Les établissements bancaires

Un compte dans une banque anglaise sera nécessaire, ne serait-ce que pour recevoir votre salaire. Si vous n'en avez pas ouvert un de France, vous devrez fournir de nombreux documents (passeport, attestation de

domicile, relevés bancaires des six derniers mois, attestation d'emploi…). Une lettre de référence détaillée de votre établissement bancaire dans l'Hexagone permettra d'accélérer la procédure. Vous pourrez demander une carte de débit mais on ne vous proposera certainement pas de carte d'achat à crédit immédiat, les banques préférant s'assurer d'abord du bon fonctionnement des comptes de leurs nouveaux clients.

▶ Les assurances

Si vous voulez accéder au système de santé privé, il faudra songer à souscrire une assurance santé, dont le coût varie en fonction de nombreux paramètres (cf. *L'offre de santé*). Les deux compagnies les plus

connues sont Bupa et Axa PPP. Pour un quadragénaire en bonne santé, il faut par exemple compter entre 500 et 800 £ par an. Quant au prix moyen annuel d'une assurance auto complète en Grande-Bretagne, il s'élève désormais à environ 600 £. En matière d'assurance habitation, il est possible d'assurer uniquement les murs, « building insurance », ou les biens, « contents insurance », voire les deux. Comptez dans les 200 £ par an.

Quelles aides du pays d'origine ?

Les expatriés au chômage en France avant leur départ à Londres pourront continuer à percevoir leurs allocations pendant trois mois, versées par Pôle Emploi, à condition de s'inscrire auprès des services correspondants britanniques. Si un des membres du couple a démissionné pour suivre son conjoint, il pourra également bénéficier du maintien des allocations durant trois mois au maximum. Les citoyens européens détachés par leur entreprise en Grande-Bretagne resteront couverts par leur système national de sécurité sociale. Si vous êtes en détachement, et non pas en expatriation, le pays dont vous êtes originaire doit continuer à verser les allocations familiales.

Pour en savoir plus
▶ www.pole-emploi.fr (rubrique « Pôle Emploi international »)
▶ ec.europa.eu/social/home.jsp?langId=fr

Infos pratiques

CAR TAX
▶ www.gov.uk/vehicle-tax-rate -tables
▶ www.taxdisc.direct.gov.uk

TÉLÉVISION
Redevance
▶ www.tvlicensing.co.uk
Réception
▶ www.digitaluk.co.uk

TV, TÉLÉPHONIE, INTERNET
Pour comparer les offres des opérateurs
▶ www.broadbandchoices .co.uk
▶ www.uswitch.com/ broadband
Téléphonie mobile et 4G
▶ www.moneysupermarket .com/mobile-phones
▶ www.whistleout.co.uk /MobilePhones

BANQUES
Pour comparer les prix et les caractéristiques des comptes bancaires selon les différents établissements
▶ www.money.co.uk/current -accounts.htm

ASSURANCES
Pour comparer les prix
▶ www.money.co.uk/home -insurance.htm

Exemples de salaires bruts hebdomadaires moyens en Grande-Bretagne (en livres sterling)

Cadres supérieurs et dirigeants : 738,4
Professions libérales : 694,3
Assistants et techniciens : 575
Secrétariat et employés administratifs : 393,1
Artisans : 465,7
Vente, services clients : 323,3
Machinistes : 426,4
Professions élémentaires : 333

Source : Annual Survey of Hours and Earnings, ONS 2012

Jean-Michel, Gregory et Camille de la société familiale « Déménagements Gallieni » sont basés dans le nord de la France mais actifs dans le monde entier.

Jean-Michel, Gregory et Camille gèrent en moyenne – et en famille – près de 800 à 1 000 déménagements/an vers le Québec et près de 350 déménagements vers le Royaume-Uni. Le tout sans intermédiaires, avec la même équipe de bout en bout et avec le souci de répondre à vos demandes rapidement et simplement. Les experts du déménagement Gallieni vous livrent ici quelques conseils... Contactez-les pour avoir le reste des réponses aux questions que vous vous posez !

Leur devise ?
« Le Monde par Air et Mer »

Leur spécialité ?
Le déménagement vers... Le Royaume-Uni et le Québec !

Leur credo ?
Professionnalisme, sourire et efficacité.

Question : *Je pars avec toute ma famille et dois déménager à Londres. À quoi dois-je faire attention pour bien organiser la livraison de mes affaires ?*

Réponse :
Pour bien organiser la livraison, faites attention aux accès pour les véhicules au stationnement du camion et aux accès dans les logements.
Quelques exemples : les couloirs sont souvent plus longs et plus étroits qu'en France et les portes sont moins hautes, ce qui peut occasionner des petits soucis pour passer les meubles les plus imposants (type buffet, canapé, etc.). De plus, les fenêtres sont souvent des fenêtres « guillotine » à Londres, ce qui restreint la possibilité de mettre un monte-meubles extérieur et oblige l'accès du mobilier par l'escalier...

Question : *Il y a certains meubles et objets auxquels je tiens beaucoup. Comment être sûr de bien les emballer ? Comment cela se passe-t-il si, en cours de transit, mes affaires sont cassées ou perdues ?*

Réponse :
• Au niveau des Emballages. Dans notre prestation nous pouvons tout emballer : le Fragile et le Non-Fragile. Nous arrivons chez vous, nous occupons de tout. Mais si vous préférez emballer la totalité ou une partie de votre expédition vous-même en effectuant un tri, nous vous fournissons des cartons, adhésifs et papier bulles. Le mobilier, la literie, le salon, les vêtements, tout est emballé par nos soins sous couvertures, housses, penderies portables, etc. Il est même possible pour certains mobiliers – miroirs, pianos, marbre ou autre – de fabriquer des caisses aux dimensions des objets (devis sur demande).

Réponse :
• Au sujet des assurances
Il faut que la valeur de remplacement vous permette de racheter à neuf la totalité de votre expédition. Nous fournissons bien sûr une attestation d'assurances avec les indications et procédures précises en cas de dégâts ainsi que les coordonnées du commissaire aux avaries afin de réduire les délais.

Sachez qu'il se peut toujours, lors de gros déménagements, que quelques objets soient heurtés lors du transport routier. Néanmoins, nous réduisons les risques de casse et de vol au maximum.

Par ailleurs, sachez que la TVA française en vigueur est applicable pour les déménagements intra-communautaires, au contraire d'un déménagement hors Europe.

Vous avez d'autres questions ? Vous souhaitez nous exposer votre situation ? Nous vous accompagnerons étape par étape, avec une solution à chaque moment de votre préparation. Contactez-nous !

Jean-Michel, Gregory et Camille Gallieni.

Contactez-nous pour toutes les questions que vous vous posez !

Un week-end de repérage

JOUR1 24 heures pour

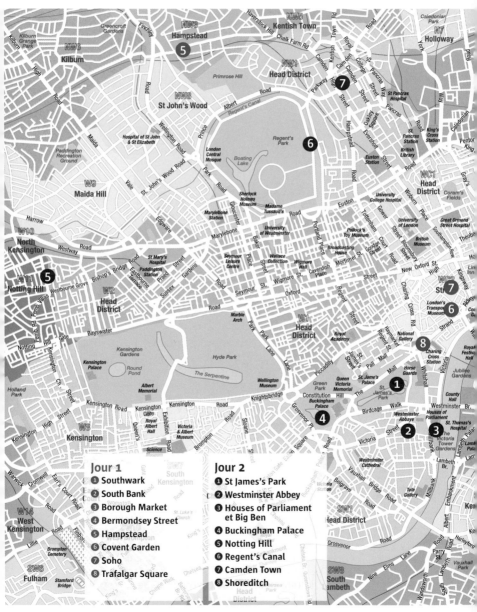

Jour 1
1. Southwark
2. South Bank
3. Borough Market
4. Bermondsey Street
5. Hampstead
6. Covent Garden
7. Soho
8. Trafalgar Square

Jour 2
1. St James's Park
2. Westminster Abbey
3. Houses of Parliament et Big Ben
4. Buckingham Palace
5. Notting Hill
6. Regent's Canal
7. Camden Town
8. Shoreditch

comprendre Londres

① Southwark 8h-9h

De Southwark au Millenium Bridge. La météo est souvent capricieuse à Londres, mais une balade au fil des eaux boueuses de la Tamise, par n'importe quel temps, ne décevra que les plus grincheux et vous donnera un aperçu immédiat des richesses de la capitale britannique. Rendez-vous donc dans le quartier très central de Southwark, sur la rive sud de la Tamise, qui héberge de multiples musées et offre des vues spectaculaires sur quelques-uns des monuments les plus célèbres de Londres. Aux alentours de la gare de London Bridge, desservie par la ligne Northern Line du métro et par de nombreux trains, plusieurs petits cafés proposent d'honnêtes « Full English Breakfast », le petit-déjeuner traditionnel composé d'œufs, de bacon et de flageolets, les fameux *beans*. C'est copieux et il n'y a pas mieux pour prendre des forces avant d'entamer une bonne marche dans ce quartier jadis malfamé devenu l'un des pôles culturels de la ville. Empruntez Cathedral Street pour jeter un œil à la réplique du *Golden Hind,* le vaisseau du corsaire, explorateur et négrier Francis Drake, puis tournez dans Clink Street et rejoignez la Bankside, une promenade fermée au trafic automobile. De l'autre côté du fleuve, on admire la cathédrale Saint Paul, les toits des gratte-ciel ultramodernes comme le Shard et le Gherkin ou, encore, la tour de Londres, un classique. Dirigez-vous vers le Millenium Bridge, où se trouvent la Tate Modern et son extraordinaire collection.

🚶 30 min • 🏛 • 🖼 • 🍽 • ✂

❷ South Bank
9 h-11 h

De la South Bank à la Hayward Gallery. Une visite de la Tate Modern constitue une expérience inoubliable même pour ceux que l'art contemporain rebute. On pourrait passer des jours ou des semaines dans cette ancienne centrale électrique qui, avec l'usine de Battersea, constitue l'un des bâtiments industriels les plus emblématiques de la ville. Mais la visite sera pour un autre jour ! Reprenez votre marche le long de la Tamise pour pénétrer dans le quartier de la South Bank, haut lieu de la culture londonienne. La large promenade au bord de l'eau est très chouette, notamment pour les enfants. On y trouve le London Eye, grande roue de 135 m construite pour les célébrations de l'an 2000. Chaque année, 3,5 millions de visiteurs grimpent dans l'une de ses 32 capsules pour un tour d'environ une demi-heure. Quand le ciel est dégagé, la vue est magnifique. C'est également dans ce secteur que se trouvent la Hayward Gallery, réputée pour ses grandes expositions et son architecture controversée de style brutaliste, le Royal Festival Hall et ses concerts prestigieux, ainsi que le National Theatre.

🚶 25 min • 🏛 • 🖼

❸ Borough Market 11 h-12 h

De la gare de Waterloo à Borough Market. Marchez jusqu'à la gare de Waterloo et prenez le métro Jubilee Line pour vous rendre à la station London Bridge. Vous n'êtes plus qu'à quelques encablures de Borough Market, pittoresque marché de bouche datant du Moyen-Âge situé sous une voie ferrée où se croisent jeunes branchés de retour de soirée et familles en quête de produits de grande qualité. Vous dégusterez sur place de délicieux hamburgers et vous installerez sur un tabouret pour de succulentes huîtres et un verre de vin blanc sec, mais vous ferez aussi vos courses pour la semaine : pain, fromage, fruits issus de l'agriculture bio, poisson frais. Impossible de se tromper, tout est ici excellent.

🚶 15 min + métro • 🍽 • 🛒

④ Bermondsey Street 12 h-13 h

De Borough Market à Bermondsey Street.
De Borough Market, vous pouvez facilement re-joindre Bermondsey Street, une rue trendy où les gangs de malfrats des années 1960 ont laissé place à une myriade de restaurants, boutiques, pubs et cafés. Les anciens entrepôts qui peuplaient le quartier, sévèrement touché pendant la Seconde Guerre mondiale, ont été complètement refaits et les loyers sont ici très élevés. Il faut dire que l'atmosphère est paisible et tranche avec le tumulte enveloppant London Bridge. C'est dans cette rue que se situe l'une des plus importantes galeries d'art contemporain de Londres, également la plus vaste d'Europe, le White Cube. Le bâtiment, entièrement rénové, date des années 1970 et offre plus de 5 000 m² d'exposition.

🚶 25 min • ⏹⊙⏽ • ⚑ • 🏛

⑤ Hampstead 13 h-15 h

De Bermondsey Street à Church Row. Empruntez la Northern Line jusqu'à Hampstead, pour un dépaysement total dans une atmosphère villageoise. Il vous sera difficile de vous installer dans ce périmètre onéreux, perché sur une colline et regorgeant d'espaces boisés. C'est l'un des plus prisés de la capitale. Commencez par une balade dans Hampstead Heath, la lande reliant le quartier à celui de Highgate. On ne trouve pas ici les gazons impeccables et les lits de fleurs mais des prairies à l'herbe grasse, des étangs où l'on peut se baigner et de nombreux bois. Idéal pour oublier la frénésie du centre. Dirigez-vous ensuite vers le cœur du village à la découverte des divers pubs, cafés, et restaurants, mais également de délicieuses demeures d'époque georgienne. De nombreux artistes y ont habité et la maison de Keats Grove où le poète John Keats vécut, fait partie des édifices qui se visitent. Ne manquez pas la Fenton House, charmante demeure du XVIIe siècle et son jardin où vous pourrez jouer au croquet. Des concerts avec instruments d'époque y sont régulièrement organisés. Déambulez enfin dans Church Row, une rue où les maisons de style georgien rivalisent par leur beauté et sont parfaitement conservées.

🚶 1 h + métro • 🌳 • 🏞 • ⏹⊙⏽ • ⚑ • 🏛

⑥ Covent Garden 15h-16h

De Church Row à Rose Street. Londres est aussi le paradis des amateurs de mode et de shopping. Prenez donc la direction de Covent Garden, quartier central bien desservi par les bus et les métros. Vous trouverez ici la plupart des enseignes présentes dans le tumulte d'Oxford Street et de Regent Street, mais également des boutiques de petits créateurs, dans une ambiance plus intimiste bien que le secteur soit l'un des plus animés de la ville. Le quartier est prisé des noctambules et des fêtards, qui viennent s'y désaltérer après les représentations musicales et théâtrales données dans les salles de spectacles (Royal Opera House, Theatre Royal Drury Lane) situées aux alentours de la place centrale, la Piazza, où trône une grande halle construite au XIXe siècle. Si vous avez envie de vous encanailler sans aucun danger, risquez-vous dans la ruelle de Rose Street, où se trouve le Lamb and Flag, le pub le plus ancien de Covent Garden et l'un des plus vieux de Londres. Cette petite taverne fréquentée par les touristes mais aussi des habitués a obtenu sa première licence en 1623. On raconte que Charles Dickens y avait ses habitudes.

🚶 45 min • 🍸 • 🛍️

7 Soho 16 h-17 h

De Covent Garden à Gerrard Street. À quelques minutes à pied de Covent Garden, plongez dans Soho. Probablement l'un des périmètres les plus connus de Londres, il regorge de touristes attirés par l'atmosphère sulfureuse des boîtes de strip-tease, des sex-shops et les théâtres de Shaftesbury Avenue, que l'on rejoint en cinq minutes depuis la station Leicester Square. Quelques-uns des lieux les plus connus de Londres sont réunis dans cette zone effervescente bordée par Oxford Street, Regent Street, Leicester Square et Charing Cross Road. Autant de noms résonnant comme une invitation au voyage dans ce secteur où le Swinging London des années 1960 a été remplacé par un monde toujours plus cosmopolite. Soho, qui séduit toujours de nombreux artistes et intellectuels britanniques, est ainsi devenu le principal quartier chinois de la capitale. De Shaftesbury Avenue, dirigez-vous vers Gerrard Street et ses grandes arches, le cœur de Chinatown. Les restaurants asiatiques et les magasins d'épices sont ici légion. Lors du Nouvel An chinois, n'y manquez pas les défilés.

🏃 30 min • ⭑◯⭑ • 🛍

8 Trafalgar Square 17 h-19 h

De Soho à la National Gallery. Descendez maintenant vers Trafalgar Square par Wardour Street puis Whitcomb Street. Sur la fameuse place, se trouve la non moins célèbre colonne de Nelson rendant hommage à l'amiral tué lors de la bataille de Trafalgar. Des millions de touristes viennent chaque année flâner sur cette grande place du cœur de Londres où l'on fête les grands moments du pays (mariage royal, compte à rebours pour les jeux olympiques, etc.), mais qui sert aussi de lieu de rassemblement pour les mouvements de grogne dans les moments plus sombres. Au nord de la place, se trouve la National Gallery et sa magnifique collection de plus de 2300 peintures de maîtres européens, l'une des plus importantes du monde. Le musée est ouvert 361 jours par an et abrite notamment des œuvres du Titien, de Vermeer, Vélazquez, Cézanne et van Gogh *(Les Tournesols)*. On y reviendra. Juste à côté, après avoir tourné dans Charing Cross Road, admirez et visitez la très belle église de Saint Martin in the Fields. Vous pouvez ensuite aller prendre un verre à la National Portrait Gallery, qui ferme à 21 h les jeudis et vendredis et jouxte la National Gallery. Fondé en 1856 pour réunir des portraits de Britanniques célèbres, le musée rassemble des tableaux de la famille royale, des photos de stars du foot, des portraits d'artistes et de scientifiques. Montez au bar-restaurant du musée situé sur le toit pour un petit apéritif et des vues spectaculaires sur la *Nelson's Column*, le Parlement et Big Ben.

🏃 30 min • • ⭐ • 🏛 • 🍷 • ⭑◯⭑

JOUR2 24 heures pour

❶ St James's Park
8 h-9 h 30

St James's Park. Préparez-vous à passer une matinée dans les lieux chargés d'histoire (et de touristes), l'après-midi sera quant à lui (de plus en) plus branché. Emportez quelques muffins pour un petit déjeuner dans St James's Park, le plus ancien des jardins royaux de Londres dans le cœur religieux et politique de la capitale. Facile d'accès, ce parc est desservi par plusieurs lignes de métro et de bus. À quelques pas des palais royaux de St James, Westminster et Buckingham, St James's Park accueille chaque année entre cinq et six millions de visiteurs, attirés par la richesse de la faune et la flore. Déambulez autour du lac pour admirer canards et pélicans. Au petit matin, il n'est pas rare non plus de croiser un ou deux inoffensifs renards. C'est Henry VIII qui fit l'acquisition du site en 1532 pour ses parties de chasse avant que le parc ne soit complètement redessiné sous Charles II, qui aimait venir y rencontrer ses sujets et nourrir les canards. L'architecture sobre et élégante du lieu ainsi que ses grandes avenues bordées de gazon ont séduit de nombreux metteurs en scène, Woody Allen et Stephen Frears notamment.

🚶 20 min • 🌳 • 🖼

❷ Westminster Abbey 9 h 30-10 h 30

Abbaye de Westminster. Allez ensuite à la découverte de l'un des plus importants bâtiments gothiques du Royaume-Uni. Rendue célèbre par les images télévisées des mariages royaux, l'abbaye fut fondée en 960 en tant que monastère bénédictin avant de devenir l'église du couronnement des monarques depuis le sacre de Guillaume le Conquérant, en 1066. Plus de 3 000 personnes y sont en outre inhumées. Elle comprend de nombreux tableaux, de superbes vitraux et un pavement d'origine parfaitement conservé. Ne manquez pas la façade occidentale et ses deux tours symétriques réalisées au XVIIIᵉ siècle par Nicholas Hawksmoor. La nef centrale, qui culmine à 31 m, est la plus haute d'Angleterre. Les chapelles Henri VII et St Edward the Confessor, qui abrite le tombeau du monarque ainsi que d'autres souverains, valent le détour, comme la salle capitulaire, de plan octogonal.

🚶 15 min • 🏛

comprendre Londres

❸ Houses of Parliament et Big Ben
10 h 30-11 h 30

Palais de Westminster et Big Ben. De l'autre côté de St Margaret Street, se trouvent les Houses of Parliament et Big Ben. De style néogothique, le palais de Westminster incarne la force tranquille de la monarchie parlementaire à l'anglaise. Siège des deux chambres du Parlement, celle des communes et celle des lords, depuis le début du XVIᵉ siècle, le palais était auparavant une résidence royale. Un incendie le détruisit presque entièrement en 1834 et la construction du nouvel édifice démarra l'année suivante sous la conduite de l'architecte Charles Barry. De proportions colossales, le palais est situé au bord de la Tamise et sa façade mesure 266 m de long. La tour nord de l'édifice et ses quatre cadrans d'horloge, achevée en 1859, abrite l'énorme cloche de plus de 13 tonnes surnommée Big Ben, fondue jadis dans le quartier de Whitechapel. Les cadrans de chaque horloge mesurent sept mètres de diamètre et leurs grandes aiguilles font 4,2 m de long pour un poids de 100 kg chacune. Big Ben sonna pour la première fois le 31 mai 1859 et son carillon ne s'est presque jamais interrompu depuis. Même pendant la Seconde Guerre mondiale, après la destruction de la Chambre des Communes, Big Ben continuait de marquer les heures.

🚶 15 min • 🏛️

❹ Buckingham Palace
11 h 30-12 h 30

De Birdcage Walk à Buckingham Palace. Empruntez le Birdcage Walk, qui longe St James's Park jusqu'à Buckingham Palace, et soyez prêt à affronter les nuées de touristes qui s'amassent chaque jour devant les grilles de la résidence officielle des souverains britanniques depuis 1837. Le palais est utilisé pour les réceptions organisées par la reine, qui y travaille et y vit. Il comporte 775 salles. Les 19 salles des appartements d'État sont toutefois ouvertes au public chaque année aux mois d'août et septembre pendant le séjour d'Elizabeth II en Écosse. La visite se termine par une promenade dans le jardin sud offrant une belle vue sur le lac. Très prisée, la relève de la garde a lieu tous les jours à 11 h 30, de début mai à fin juillet, et tous les deux jours le reste de l'année. Un membre des gardes de la reine, vêtu de la célèbre tunique rouge et coiffé d'un chapeau en peau d'ours, vient relever le précédent.

🚶 30 min • 🏛️ • 🌳 • 🖼️ • 〰️

⑤ Notting Hill
13 h-15 h

Notting Hill. Place aux artistes, aux brocanteurs et aux antiquaires de Notting Hill, que vous rejoindrez en moins d'une demi-heure de la station Victoria en empruntant la Circle Line. Le secteur n'est plus aussi à la mode qu'à l'époque où Julia Roberts et Hugh Grant y crevaient l'écran, mais les vedettes de cinéma et les auteurs en vogue continuent de s'y installer. Rares (et chères) sont les opportunités de logement dans l'un des délicieux cottages aux couleurs pastel qui donnent au quartier son charme campagnard. Portobello Road, la rue la plus connue du quartier, se transforme en marché aux puces géant les vendredis et samedis et est réputée pour ses boutiques d'antiquités. Les amateurs de disques feront un crochet par le magasin Rough Trade, caverne d'Ali Baba située sur Talbot Road où les vendeurs sont incollables et heureux de vous faire découvrir les dernières nouveautés de la scène londonienne. Un détour chez le fleuriste Wild at Heart, sur Turquoise Island, conclura en beauté la promenade même si le prix des fleurs, plus belles les unes que les autres, a un côté déprimant.

🚶 45 min + métro • 🛍️

⑥ Regent's Canal 15 h 30-17 h

De Notting Hill au Camden Lock. En empruntant la District Line puis la Bakerloo Line, gagnez ensuite, en un petit quart d'heure, la station de métro Warwick Avenue, popularisée par la chanteuse Duffy, le chantre du revival Northern Soul en Angleterre. La station n'a au-

cun charme particulier mais constitue un excellent point de départ pour une balade le long du Regent's Canal. En sortant du métro, marchez jusqu'au bassin où se croisent le Grand Union et le Regent's Canal. De nombreuses péniches sont amarrées ici et le quartier, charmant et tranquille, a été surnommé Little Venice. De là, vous pouvez marcher le long du Regent's Canal jusqu'à Regent's Park. Cachées derrière la végétation, de magnifiques demeures en bordent les rives. Vous pouvez vous arrêter dans Regent's Park pour une visite du zoo de Londres ou faire un détour par Primrose Hill, qui offre un panorama exceptionnel sur les toits de la ville. Flânez au bord de l'eau jusqu'au Camden Lock, où une atmosphère complètement différente vous attend. Par beau temps, il est possible d'effectuer toute la promenade en bateau de Little Venice.

🚶 1 h 15 + métro • 🌳 • 🌊 • 🎏

❼ Camden Town
17 h-18 h

Balade dans Camden Town. Réputé pour ses boîtes de nuit, ses salles de concert, ses pubs et ses bars, le quartier de Camden Town a perdu de son authenticité, mais demeure un symbole de la culture alternative londonienne. La chanteuse Amy Winehouse y résidait. Si vous êtes claustrophobe, évitez de vous y rendre le week-end, quand l'artère principale, Camden High Street, est noire de monde. Déambulez dans les allées des nombreux marchés au milieu des odeurs de curry et d'encens, vous y trouverez toujours quelque chose d'inattendu même si la plupart des magasins proposent les mêmes bibelots sans grand intérêt. Les boutiques pullulent sur Chalk Farm Road et Camden High Street, où les façades hautes en couleur (ne ratez pas la Doc Marten géante) vous rappellent que Londres est aussi une ville punk. Les cohortes d'adolescents et les hipsters à grosses lunettes ont aujourd'hui remplacé les crêtes et les Perfecto, vous vous en rendrez compte si vous vous arrêtez siroter une pinte au Lock Tavern.

🚶 30 min • 🛍 • 🍹

❽ Shoreditch 18 h 30-20 h 30

De Camden Town à Shoreditch. Vous pensiez que Camden était branché? Rendez-vous donc au métro Old Street, sur la Northern Line, à 10 min de Camden. Vous voilà dans le paradis de la hype et des excentriques, dans les secteurs de Shoreditch et Hoxton. Ici, pas de grands espaces verts et de jardins à l'anglaise, mais de la pierre brute ornée de graffitis. C'est le Londres des grands entrepôts, réaménagés en lofts luxueux, en pubs ou en boutiques de petits créateurs, le Londres des oiseaux de nuit. Le quartier, qui au XVIᵉ siècle déjà attirait les artistes et les marginaux, a connu son apogée au début des années 2000. Shoreditch a ensuite été victime de son succès, avec des loyers en hausse vertigineuse débouchant sur l'exil plus au nord des artistes et une inévitable gentrification. Situé à la pointe sud de Hackney, Shoreditch n'en reste pas moins attrayant. Le périmètre est bien desservi par les transports en commun et quelques-uns des meilleurs restaurants et bars à cocktails de la ville sont installés ici. Déambulez à votre guise dans le triangle constitué par Old Street, Great Eastern Street et Shoreditch High Street pour une balade urbaine avant de déguster un curry dans Brick Lane.

🚶 45 min + métro • 🍸 • 🍴

Autour de Londres

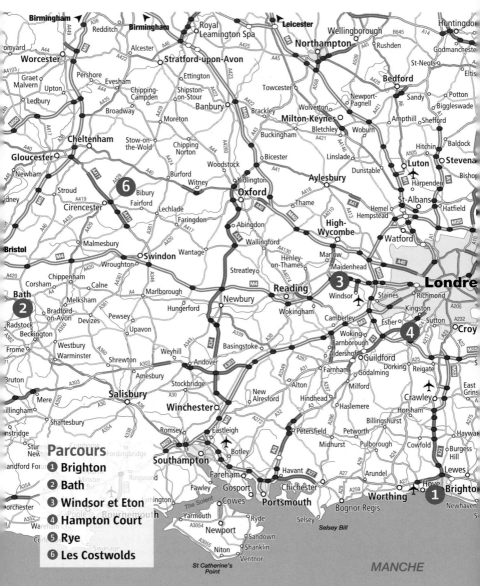

❶ Brighton

Les alentours de Londres offrent de nombreuses possibilités de dépaysement. Au rang des lieux de villégiature les plus prisés, le temps d'une journée ou d'un week-end : Brighton. Cette station balnéaire, située à environ une heure de train de la capitale, attire de nombreux Londoniens tout au long de l'année, mais c'est surtout pendant l'été que cette petite ville réputée pour sa vie nocturne très animée se met à vibrer. C'est une faune bigarrée réunissant dans une atmosphère hédoniste étudiants en langue, hippies rescapés des années 1960, écrivains à la mode et musiciens qui vient s'y détendre. La ville est truffée d'excellents restaurants de poisson, de bars et de boîtes de nuit. Il faut se promener sur le front de mer puis sur la jetée menant à la fête foraine, mais ne négligez pas non plus les petites rues du centre historique et prévoyez une visite du Royal Pavilion. Bâti entre 1787 et 1823 pour le prince régent, le futur roi George IV, ce palais exubérant au style oriental incarne à merveille les délices offerts par la cité balnéaire.

🥂 • 🍴 • 🏖 • 🏛 (1 h de train de Londres)

② Bath

À une heure et demie de Londres des gares de Paddington et Waterloo, Bath constitue l'un des joyaux de l'Angleterre. L'ancienne cité romaine inscrite au patrimoine mondial par l'Unesco est renommée pour son architecture georgienne, sa somptueuse abbaye, son complexe de thermes ainsi que le Royal Crescent, un bâtiment semi-circulaire surplombant de magnifiques jardins et le Royal Victoria Park. La ville compte d'excellents hôtels et restaurants et il vous sera difficile d'éviter les foules. Les fans de Jane Austen, qui situa l'action de nombre de ses romans à Bath, feront un crochet par le Jane Austen Center tandis que les Thermae Bath Spa vous permettront de profiter d'une expérience thermale dans des sources d'eau chaude naturelle.

🏛 • 🌳 • ⛾ • 〰 (1 h 30 de train de Londres)

③ Hampton Court

Cette ancienne résidence d'Henry VIII est facile d'accès de la gare de Waterloo. Au temps de ce monarque, le palais situé en bordure de la Tamise accueillait des fêtes somptueuses, et des archéologues ont récemment trouvé dans la plus grande des cours du palais les restes d'une fontaine à vin. Les jardins et les espaces verts d'Hampton Court, où le vainqueur du Tour de France 2012, Bradley Wiggins, a été couronné champion olympique du contre-la-montre, sont vraiment magnifiques. À ne pas manquer, surtout avec des enfants, le fameux labyrinthe végétal et la visite des immenses cuisines Tudor, où environ 200 personnes œuvraient sous Henry VIII.

🏛 • 🌳 (35 min de train de Londres)

④ Windsor et Eton

Le château de Windsor, à une heure de bus et une demi-heure de train de Londres, est l'un des sites les plus courus d'Angleterre et il est essentiel de commencer sa journée tôt pour éviter les longues queues. Bâti au XIᵉ siècle dans la forêt de Windsor par Guillaume le Conquérant, le château a échappé aux bombardements de la Seconde Guerre mondiale. Cette forteresse imposante est parfaitement conservée et la reine y prend encore ses quartiers de temps à autre le temps d'un week-end. Comptez au moins deux heures pour la visite du château qui comprend l'incroyable maison de poupées de la reine Mary, les appartements d'État et la chapelle St George. Prévoyez également une visite de l'Eton College, l'un des plus prestigieux établissements privés du pays. C'est ici que l'élite politique, culturelle et économique de la Grande-Bretagne est formée depuis sa fondation, en 1440.

🏛 • 🌳 (30 min de train de Londres)

⑤ Rye

Ce petit village médiéval situé dans la campagne vallonnée de l'East Sussex est considéré comme l'un des plus charmants du pays. Ses petites rues pavées, son église médiévale ainsi que ses bâtisses des époques Tudor et georgienne constituent le cadre idéal pour un week-end romantique à deux heures de train seulement de la gare de Charing Cross. Mermaid Street et ses jolies maisons à

colombage constituent un bon point de départ pour découvrir la cité, qui compte de nombreux monuments intéressants comme la tour d'Ypres ou la Landgate, une porte située au nord-est du village datant du XIIIᵉ siècle. Profitez également de votre séjour dans le Sussex pour visiter les brasseries locales, qui produisent quelques-unes des meilleures bières du Royaume-Uni.

🏛 • 🌳 • 🍹 (2 h de train de Londres)

⑥ Les Cotswolds

De Londres, il faut environ une heure et demie pour atteindre cette région du Sud-Ouest délicieusement champêtre constituée de collines en pente douce, de jardins, de petits cours d'eau et de villages typiquement anglais. Idéal pour un week-end de randonnée, à pied ou à cheval, ou une escapade à bicyclette! La région a bâti son essor et sa richesse au Moyen-Âge sur le commerce de la laine et on ne trouve ici aucune trace de l'industrialisation. Difficile d'en citer tous les joyaux, mais ne manquez en aucun cas le petit village de Bibury et la pittoresque Arlington Row, où l'on stockait jadis la laine. Les bâtisses, transformées en cottages au XVIIᵉ siècle, sont parfaitement conservées. So British!

🏛 • 🌳 • 🏞 • 🚲 (1 h de train de Londres)

Fait-il bon vivre à Londres ?

Le climat et l'environnement

Avec plus de 8 millions d'habitants, Londres est une ville gigantesque, heureusement riche en espaces verts et irriguée par la Tamise.

▶ **De forts déséquilibres locaux**

Londres est une ville pleine d'énergie, tolérante et accueillante. Mais c'est aussi le lieu de toutes les inégalités, à commencer par celles qui vous tombent dessus à la naissance. Globalement, les Britanniques vivent de plus en plus vieux, et c'est valable pour les Londoniens. Mais l'espérance de vie varie grandement d'un « borough » à l'autre. Les derniers chiffres publiés par l'Office national des statistiques révèlent ainsi que l'espérance de vie à la naissance dans le très riche quartier de Kensington & Chelsea est désormais de 84,4 ans pour les hommes et de 89 ans pour les femmes. À titre de comparaison, l'espérance de vie de ces dernières dans le borough de Newham, nettement moins favorisé, n'est que de 80,5 ans. Et les hommes d'Islington ont l'espérance de vie la plus courte de la capitale : 75,4 ans. Évidemment, ces inégalités sur l'échelle de la vie se retrouvent quand on se penche sur les revenus des Londoniens par quartiers.

▶ **Une ville hyperurbaine**

Avec plus de 8 millions d'habitants, Londres est l'une des plus importantes villes du monde. S'étendant sur plus de 1500 kilomètres carrés, cette mégalopole a un pouvoir d'attraction unique. Et pourtant, hormis dans l'hypercentre, on n'y vit pas un enfer urbain. Certes, il y a du monde, du bruit, des sirènes de police jour et nuit, les métros sont souvent pleins à craquer, mais on y respire. Les eaux paisibles de la Tamise, qui divise la ville en deux, ainsi que les nombreux parcs contribuent évidemment à tempérer la frénésie du centre. Mais c'est principalement sa géographie – un chapelet de petits villages collés les uns aux autres – qui donne à Londres cette atmosphère si particulière, dans un subtil mélange de calme chic et provincial et de brutalité industrielle.

▶ Les boroughs

Londres est composé de 32 boroughs (33 avec la City of London, qui jouit d'immenses privilèges et d'une grande autonomie).

La population, la taille et l'atmosphère de chaque borough diffèrent. Les boroughs du centre sont évidemment les plus animés et les plus urbains et l'on y trouve une population jeune et bigarrée. Plus on s'éloigne du cœur de la ville, plus l'atmosphère devient banlieusarde, avec des espaces verts plus nombreux. C'est encore plus vrai derrière la M25, l'autoroute qui encercle le Grand Londres, où de délicieux petits villages attirent chaque année des milliers d'habitants en quête d'un cadre de vie plus calme.

▶ Un climat tempéré et humide

Londres jouit d'un climat tempéré et pluvieux (entre 11 et 15 jours de précipitations par mois). La ville a connu des vagues de chaleur ces dernières années mais en général les étés ne sont pas très chauds (20°C en moyenne) et le thermo-

mètre descend rarement en dessous de -5°C en hiver, avec des températures comprises entre 2 et 6°C en moyenne. En raison de la forte densité de population et de la production de chaleur plus importante qu'ailleurs, il fait moins froid dans Londres qu'aux frontières de la ville.

▶ Quatre saisons par jour !

La principale caractéristique du climat londonien est sa grande versatilité, et il n'est pas rare de vivre les quatre saisons au cours d'une seule et même journée! L'hiver est sans nul doute le moment le plus désagréable, avec des journées courtes, des pluies abondantes, un froid humide et des rafales de vent qui vous transpercent jusqu'aux os. Le printemps peut être agréable, notamment après le passage à l'heure d'été. C'est d'ailleurs en mars et en avril que les précipitations sont les moins importantes.

Des renards dans la ville

Il y a trois ans l'histoire de deux jumelles de neuf mois attaquées par un renard pendant leur sommeil dans une maison de Londres avait fait le tour du monde. Ce fait divers très triste n'a heureusement pas connu de nouvel épisode aussi sanglant car les renards ne s'attaquent quasiment jamais aux hommes (contrairement aux chiens!). Ils sont toujours aussi nombreux et certains spécialistes estiment qu'ils sont 10000 dans Londres. Leur présence est évidemment liée aux multiples jardins, parcs et forêts de la ville. On les croise la nuit ou très tôt le matin. Leur espérance de vie est courte à Londres, de deux à trois ans, en raison du trafic routier principalement.

▶ Un air pollué

La qualité de l'air à Londres souffre des effets dévastateurs de la circulation routière. La capitale britannique est l'un des lieux les plus pollués du Royaume-Uni. Une étude commanditée par la London Greater Authority a permis d'établir que la pollution avait causé plus de 4 000 décès prématurés à Londres en 2008. La pollution aux particules fines (qui peuvent endommager les systèmes respiratoire et cardiovasculaire et provoquer de l'asthme) et au dioxyde d'azote constitue la principale crainte des autorités londoniennes en charge de la qualité de l'air. La mairie s'attaque au problème notamment en encourageant l'usage de la bicyclette, de véhicules électriques ou encore en équipant ses bus de moteurs hybrides, électriques et moins polluants. Des taxis plus propres sont également mis en circulation.

▶ Une eau de bonne qualité

L'eau du robinet provient principalement de la Tamise et de son affluent la Lea. Elle n'a pas spécialement bon goût. Mais selon le Drinking Water Inspectorate, un organisme chargé de surveiller la qualité de l'eau en Angleterre et au pays de Galles, elle est bonne à Londres et dans le sud-est du pays, où les compagnies approvisionnent en eau environ 17 millions de consommateurs. En 2011, ces entreprises ont testé plus d'un million d'échantillons, et seuls 318 ont présenté des paramètres anormaux. On peut donc boire sans crainte l'eau du robinet, quel que soit son âge.

▶ Collecte des ordures hebdomadaire

Cela en surprendra plus d'un, mais les ordures ménagères ne sont généralement collectées qu'une ou deux fois par semaine en fonction des boroughs. Vous serez donc contraint de stocker et trier (les containers et les sacs de recyclage sont fournis) vos ordures en attendant que les éboueurs ne les enlèvent. Il ne faut donc surtout pas manquer le jour de ramassage; pensez à sortir dans la rue vos containers et sacs poubelles la veille au soir. Étonnant, surtout quand on songe au montant de certaines taxes locales…

Infos pratiques

▶ Met Office (météo, qualité de l'air) et London Air Quality Network
www.metoffice.gov.uk

www.londonair.org.uk
/LondonAir/Default.aspx

▶ Drinking Water Inspectorate
dwi.defra.gov.uk

▶ London Health Observatory
www.lho.org.uk

▶ Office For National Statistics
www.ons.gov.uk/ons/index
.html

Se déplacer à Londres

▶ **Le métro et le train**

La ville est gigantesque et rares sont les Londoniens qui ont la chance de travailler à côté de chez eux. La plupart utilisent donc le métro, le London Tube, ou le train pour se rendre au travail. On peut donc très bien vivre à Londres sans voiture, surtout quand on n'a pas d'enfants. Les autorités municipales tentent de réduire la circulation automobile et ont introduit en 2003 une « congestion charge » afin d'améliorer la fluidité du trafic en réduisant le nombre de voitures sur les axes routiers. Impopulaire, cette taxe a porté ses fruits. Pendant la semaine, l'utilisation de la voiture est à proscrire. C'est cher et beaucoup plus lent que le métro ou le train si l'on habite dans un borough périphérique et que l'on travaille dans le centre.

▶ **Le rush hour**

Il est déconseillé de circuler en surface (hormis en deux-roues) pendant les « rush hours », c'est-à-dire entre 6 h 30 et 9 h 30 et 16 h 30 et 19 h les jours de semaine. Les rues du centre sont alors embouteillées et vous devrez avoir des nerfs solides pour supporter l'attente.

▶ **Les transports en communs**

Les transports en commun de Londres sont plutôt fiables, malgré quelques grèves qui ne durent pas et les travaux de rénovation sur les lignes de métro pendant le week-end. Le réseau est bien développé et l'on peut rentrer chez soi à n'importe quelle heure grâce aux nombreux bus de nuit.

▶ **Le vélo**

Faire du vélo est non seulement commode à Londres mais, en plus, c'est le sport branché du moment ! Les Londoniens n'ont pas attendu la razzia de médailles des Britanniques lors des épreuves de cyclisme des derniers JO et la victoire de Bradley Wiggins sur le Tour de France, mais cela a accru le phénomène. Et il n'est désormais pas rare de croiser en boîte de nuit un jeune hipster vêtu d'un maillot de cycliste !

Vélos en libre-service

L e maire de Londres, Boris Johnson, est un cycliste convaincu à qui il arrive même de pédaler dans les couloirs de la mairie. Il est à l'origine du projet Barclays Cycle Hire (BCH), l'équivalent du Vélib' parisien, lancé pendant l'été 2010. L'opération a connu un vif succès et ces vélos à louer sont désormais surnommés les Boris Bikes, alors que le projet avait été imaginé par son prédécesseur… Quoi qu'il en soit, la mairie encourage réellement la pratique de la bicyclette et des voies cyclables, les Cycle Superhighways, ont été créées pour rejoindre plus vite et en plus grande sécurité le centre. Entre 2000 et 2008, le nombre de cyclistes empruntant les principaux axes routiers de la ville a augmenté de 107% alors que les collisions entre cyclistes et véhicules ont diminué de 27% depuis le milieu des années 1990.

Les transports en commun

▶ Un excellent maillage

Le réseau des transports en commun est d'excellente qualité, probablement le mieux développé d'Europe. On se déplace vite en train et en métro alors que les bus rouges à impériale, les fameux *double deckers,* sont beaucoup plus lents car ils se retrouvent souvent coincés dans les embouteillages et effectuent de nombreux arrêts. Ils constituent en revanche un excellent moyen de transport la nuit ou quand vous avez du temps pour admirer le paysage depuis l'étage supérieur. On circule à Londres en autobus, en tramway, en bateaux, en train, en métro. Le réseau est divisé en zones. Celles allant de 1 à 6 sont le mieux desservies mais le métro et les trains du National Rail opèrent également plus loin, dans les zones 7 à 9.

▶ Des tarifs exorbitants

Le coût des transports en commun est très élevé, environ deux fois plus cher qu'à Paris, et pèse lourdement sur le budget des ménages. Pour obtenir des tarifs plus avantageux, il est essentiel de se procurer une Oyster Card dès son arrivée. C'est une carte magnétique qui coûte 5 £ que l'on vous remboursera si vous la rendez avant de partir. Vous pouvez ensuite la recharger à la semaine, au mois ou à l'année, ou bien utiliser le système Pay As You Go, qui permet d'accumuler du crédit et de payer chaque trajet à l'unité. Même avec une Oyster, un adulte devra quand même s'acquitter de près de 120 £ chaque mois pour circuler dans les zones 1 et 2. Il existe de nombreuses réductions pour les personnes âgées, les chômeurs et les jeunes.

▶ Une multitude de stations dans le centre

Le métro est incontestablement le mode de transport le plus adéquat. Le temps d'attente entre chaque rame varie généralement entre deux et quatre minutes. Des panneaux électroniques installés sur les quais vous informent des délais et les annonces au haut-parleur, tel le fameux « Mind the gap ! », vous tiennent au courant des éventuels retards. Les entrées des stations de métro sont marquées d'un logo connu dans le monde entier, le roundel, une sorte de cible rouge barrée d'une ligne horizontale bleue. Une fois que le métro s'arrête, les bus de nuit prennent le relais. Si vous êtes pressé et que vous en avez les moyens, les black cabs et autres minicabs sont à votre disposition.

▶ Un service continu

Le métro, qui a fêté ses 150 ans en 2013, compte 11 lignes (13 avec le DLR et l'Overground) fonctionnant globalement entre 5h du matin et 0h30 ou 1h en fonction des jours. Les trains du DLR (une ligne automatique) et du London Overground (un métro aérien lancé durant l'année 2007 pour de meilleures connexions entre le centre et les boroughs plus éloignés) ne fonctionnent pas non plus la nuit.

▶ Les trains

De nombreuses compagnies ferroviaires desservent les environs de Londres au départ des grandes gares de la ville (Euston, King's Cross, Charing Cross, London Bridge, Victoria, Waterloo, Liverpool Street, etc.). On peut également utiliser le train pour circuler dans Londres, sur des trajets un peu compliqués, comme par exemple entre Clapham Junction et Shoreditch, souvent plus rapides qu'en métro.

▶ Le cauchemar de l'heure de pointe

Le métro, construit très en profondeur, peut être un mode de transport agréable

Le black cab, le meilleur taxi du monde

Les taxis noirs, les fameux *blacks cabs* qui sillonnent les rues de Londres, sont un autre emblème de la capitale britannique, au même titre que les cabines téléphoniques rouges et les bus à étage. Ces véhicules à l'esthétique rétro, désormais déclinés en plusieurs coloris, combinent élégance et grand confort. On y voyage à cinq ou six en fonction des modèles et il est possible d'y faire entrer un fauteuil roulant ou une poussette. Le bruit de leur moteur Diesel est un régal pour l'oreille et le titre honorifique de meilleur taxi du monde leur revient aisément. Ils sont cependant très polluants et devraient être progressivement remplacés par des véhicules plus propres ou électriques. Contrairement aux black cabs, les minicabs ne peuvent pas être hélés dans la rue et ne fonctionnent pas au compteur. Ils doivent être réservés et le prix de la course est négocié à l'avance. Ils sont moins chers que les black cabs sur les longs trajets mais n'ont aucun charme et leurs chauffeurs connaissent moins bien la ville.

Les lignes de métro à éviter

Les Londoniens aiment se plaindre de leur Tube, mais sa fréquentation a atteint un niveau record en 2012 avec 1 171 millions de trajets effectués, soit 64 de plus que l'année précédente. Les performances du métro sont globalement satisfaisantes, mais certaines lignes et stations suscitent la grogne des usagers, les *commuters*. La station Bank, par exemple, fait l'unanimité contre elle à cause d'embouteillages constants dans son dédale de couloirs. On perd aussi un temps fou à Covent Garden à attendre l'ascenseur si l'on ne veut pas se fatiguer à monter les marches des interminables escaliers. La station la plus « busy » pendant les trois heures de pointe du matin est Waterloo, avec 57 000 personnes y transitant chaque jour à ce moment de la journée. Pas moins de 82 millions de voyageurs y passent chaque année. La District Line et la Northern Line sont très fréquentées et il est souvent difficile de trouver une place assise. La Victoria Line, courte, ne jouit pas d'une bonne réputation mais elle permet de rejoindre rapidement Oxford Circus et King's Cross du sud de la ville. Évitez la Central Line à l'heure de pointe, elle a le désavantage de desservir certaines stations les plus touristiques du centre.

aux heures creuses. Il y fait bon en hiver, ça réchauffe. Mais aux heures de pointe, le matin et en fin d'après-midi pendant la semaine, l'expérience est pénible. Les usagers s'entassent sur les quais, attendant sagement que les places se libèrent dans les rames pour monter. Une fois dans le métro, on n'a qu'une hâte : en sortir au plus vite ! Si vous êtes claustrophobe ou allergique aux odeurs corporelles, évitez les heures de pointe. Et si vous êtes enceinte, n'espérez pas trop que l'on vous cède la place, on vous remarquera à peine. Certaines femmes portent un badge « Baby on board » pour demander un peu d'attention.

▶ Prévoyez
de la monnaie

Sans Oyster Card, il est possible d'acheter ses tickets de métro à l'unité ou à la journée en se présentant aux guichets installés à l'entrée des stations ou en utilisant les automates à la disposition des voyageurs. Vous pouvez également acheter des tickets de bus directement auprès des chauffeurs, mais prévoyez de la monnaie. Il est en effet fréquent que le chauffeur refuse de vous en vendre si vous n'avez pas l'appoint. Vous n'avez plus qu'à descendre du bus, même s'il ne vous empêchera pas de voyager sans ticket. Mais si un contrôleur monte, c'est l'amende assurée.

▶ Des transports très sûrs

Les comportements anti-sociaux et les agressions dans les transports en commun sont rares. La mendicité y est absente, mais l'on croise fréquemment des musiciens jouant (plutôt bien d'ailleurs) dans le métro pour quelques livres. Évidemment il convient de faire atten-tion aux pickpockets, par-ticulièrement aux heures de pointe.

▶ Les amendes

On tombe rarement sur un contrôleur, mais le montant des PV pour fraude est élevé. Dans le métro, le tramway, l'autobus, le London Overground et le DLR, le montant de base est de 80 ₤, réduit à 40 si vous payez dans les trois semaines.

Les transports insolites

On peut se déplacer dans Londres en bateau au moyen des River Buses, avec des arrêts le long de la Tamise, notamment à Embankment, London Eye, Canary Wharf ou encore Greenwich. D'autres compa-gnies organisent aussi des trajets et des croisières. Il est également possible d'emprunter les airs grâce au nouveau téléphérique inauguré en 2012. L'Emira-tes Airline enjambe la Tamise et relie le quartier de Greenwich aux Royal Docks sur un trajet d'un peu plus d'un kilomètre offrant des vues magnifiques. Gratuit pour les enfants de moins de 5 ans.

Infos pratiques

▶ Afin de planifier vos trajets et de connaître l'itinéraire le plus rapide, rendez-vous sur le « journey planner » de Transport for London **journeyplanner.tfl.gov.uk**

▶ Toutes les infos sur les tarifs, les réductions, le réseau de transports, l'accès aux handicapés **www.tfl.gov.uk**

▶ Des infos sur les différents modes de transport **www.gov.uk/government /organisations/department -for-transport**

▶ L'état du trafic en direct **www.tfl.gov.uk/tfl/ livetravelnews/realtime/road**

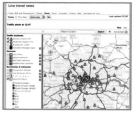

▶ Les bus desservant les banlieues plus éloignées **www.greenline.co.uk**

▶ Pour acheter des titres de transport (entre autres) avant son arrivée à Londres **www.visitbritainshop.com**

▶ Pour des infos sur le Freedom Pass, qui permet aux seniors de voyager gratuitement **www.londoncouncils.gov.uk** (rubrique « Freedom Pass »)

▶ Un site pratique pour les horaires et les billets de train **www.thetrainline.com**

▶ Une excellente application pour réserver un black cab **hailocab.com**

▶ La principale compagnie de minicabs **www.addisonlee.com/ booknow**

Conduire à Londres

▶ Tout pour vous décourager

Si vous avez fait le choix de la voiture, soyez le plus zen possible. Conduire dans le centre de Londres aux heures de pointe est un vrai cauchemar et vous perdrez beaucoup plus de temps que si vous aviez opté pour les transports en commun. Sachez aussi que les coûts de stationnement sont élevés et que la mairie met tout en œuvre pour décourager les automobilistes.

▶ Quel permis de conduire ?

Les personnes ayant obtenu leur permis de conduire dans un pays de l'UE ou de l'espace économique européen sont autorisées à tenir le volant et ne sont pas obligées d'échanger leur titre contre un permis britannique. Il est toutefois possible de le faire (pour un coût de 50 £) en s'adressant aux services compétents. Il existe aussi des accords transversaux avec le Canada. Les détenteurs d'un véhicule immatriculé en France devront procéder à une nouvelle immatriculation dans les six mois suivant leur arrivée dans le pays. Les démarches, qui peuvent être longues, se font auprès du Vehicle Registration Office le plus proche du domicile. Le véhicule, qui sera modifié (compteur en mi-

Panneaux et signalisations à connaître

Avant de conduire, il est important de maîtriser le code de la route et de se souvenir que l'on roule à gauche. Il faut également connaître la signification de certains panneaux et lignes bordant les routes :

- la ligne blanche en zigzag indique une interdiction de se garer ou de s'arrêter ;

- la ligne rouge indique une interdiction de s'arrêter entre 7h et 19h du lundi au vendredi, sauf à certains endroits en cas de livraison ou de chargement ;

- la double ligne rouge indique une interdiction de s'arrêter de façon permanente ;

- la ligne jaune indique une interdiction de se garer pendant les heures de contrôle mentionnées sur les panneaux ;

- la double ligne jaune indique une interdiction de se garer ;

- les panneaux portant les mentions « Pay at Machine » ou « Resident Permy Holders » indiquent qui a le droit de se garer et comment payer.

Les principaux axes routiers autour de Londres

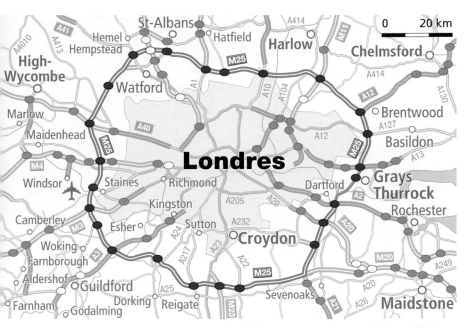

les, adaptation des feux et des rétroviseurs…), devra alors être assuré en Grande-Bretagne.

▶ **Un réseau saturé**

Non seulement le centre est saturé aux heures de pointe, mais les principaux axes conduisant au cœur de la ville en provenance de boroughs plus éloignés sont souvent surchargés. Bref : Londres est doté du pire réseau routier du pays et d'Europe ! La circulation automobile a nettement diminué au cours des dix dernières années mais 35 % des trajets effectués le sont toujours en voiture. Les autorités en charge des 580 km de routes du réseau doivent gérer chaque année environ

10 000 incidents et les axes principaux, les Red Routes, qui ne représentent que 5 % des routes, supportent 30 % du trafic. Pour garantir une meilleure fluidité dans la circulation, il est généralement interdit de s'arrêter sur les Red Routes.

▶ **La congestion charge**

Créée en 2003 pour décongestionner le centre, la congestion charge est de 10 £ si vous circulez dans la zone concernée entre 7 h et 18 h, du lundi au vendredi. Selon Transport For London, elle a permis de réduire le trafic et de lever plusieurs centaines de millions de livres qui ont été investis dans le réseau de

transports en commun. Aucun ticket n'est nécessaire ; des caméras aux entrées de la zone identifient les plaques d'immatriculation et comparent les numéros aux informations contenues dans la base de données du système afin de déterminer si les usagers se sont acquittés des 10 £ ou s'ils en sont exemptés. Les panneaux marqués d'un C blanc dans un cercle rouge indiquent le début de la zone ; ceux portant un C barré, une sortie de zone. On peut acquitter la congestion charge jusqu'à 90 jours à l'avance, par prélèvement (Auto Pay), ce qui donne droit à une réduction d'une livre, en ligne, par téléphone, par SMS, par courrier ou encore dans cer-

taines boutiques. Si vous oubliez de payer, vous aurez jusqu'au lendemain minuit pour le faire, moyennant deux livres de plus. Si vous ne le faites pas, vous recevrez une amende de 120 £ à régler sous 28 jours. Son montant sera réduit de moitié si vous payez sous 14 jours.

▶ Se garer

Les places sont rares dans le centre car de nombreuses rues sont réservées aux résidents. Il est donc souvent plus facile de se garer dans les parkings, plus chers mais où l'on peut rester plus longtemps. Dans la plupart des quartiers, le temps de stationnement en surface est en effet limité de deux à quatre heures. Le coût du stationnement est assez élevé. Il varie d'un borough à un autre, mais attendez-vous à payer

jusqu'à 4 £ de l'heure. Il est également possible de régler par téléphone ou au moyen de vouchers. Quel que soit le mode de paiement choisi, surtout garez bien votre véhicule entre les marques blanches au sol afin d'éviter une amende et ne vous mettez pas à côté d'un parcmètre ou d'une machine Pay and Display « out of service » en espérant ne pas payer, vous risqueriez de vous faire enlever votre véhicule.

▶ Le permis de résident

Il est possible d'obtenir divers permis de stationnement (handicapé, médecin, visiteur…) auprès des autorités des boroughs de la ville. Le plus fréquent est le permis de résident, *resident permit*, une sorte d'abonnement qui, après avoir été apposé sur le pare-brise,

donne le droit de garer son véhicule dans le secteur où l'on habite sur les emplacements réservés aux « resident permit holders ». La durée de validité du permis va d'un mois à un an et son coût n'est pas le même selon les boroughs et les niveaux d'émission de CO_2 des véhicules.

▶ Amendes, sabots et fourrière

Le montant des PV varie en fonction des quartiers. Dans la City of Westminster par exemple, il oscille entre 80 et 130 £. Mais le prix à payer peut généralement être réduit de moitié à condition de s'affranchir de son amende dans un délai de deux semaines. Les agents chargés de contrôler le stationnement n'hésitent pas à faire poser des sabots ou à demander la fourrière pour faire enlever les véhicules en infraction. Les voitures dotées de plaques étrangères sont particulièrement visées afin de les empêcher de quitter le pays avant que la contravention soit réglée. Faire retirer un sabot coûte très cher et les frais de fourrière sont de l'ordre

" Je n'utilise jamais ma voiture en semaine ni pour me rendre dans le centre. C'est galère de se garer et la congestion charge est hors de prix. En revanche, c'est agréable le week-end et le soir. Le stationnement est gratuit le dimanche et le samedi à certains endroits. Les règles de conduite rendent nerveux au départ. Il faut s'y habituer, comprendre ce que les panneaux veulent dire. Je me souviens m'être retrouvé avec un sabot un jour où je m'étais garé dans Soho en croyant qu'il y avait plein de places libres et gratuites : ça m'a coûté dans les 300 £. Pour ce qui est de l'attitude au volant, je trouve les gens plus courtois qu'à Paris. Et il y a des caméras partout. Il m'est arrivé de prendre trois PV en une semaine. Il te suffit de rouler à 35 miles par heure au lieu de 30 pour être flashé et si tu restes une minute de trop sur une place payante ou si tu dépasses d'un millimètre, c'est l'amende assurée. Et il n'y a pas moyen de négocier. Ça aussi, ça change de Paris. "

Laurent, 40 ans,
cadre chez Google

de 250 £, sans compter le coût du gardiennage. Si vous ne trouvez plus votre véhicule après l'avoir mal garé, contactez le service Trace (cf. *Infos pratiques*).

▶ La location et les car clubs

Il est possible de louer une voiture à la journée ou pour une plus longue durée auprès des grandes compagnies internationales ou de loueurs locaux. Il est donc recommandé de rechercher le meilleur tarif à l'aide des sites de comparaison comme carrentals.co.uk, rentalcars.com ou travel-supermarket.com. Une solution pratique consiste à s'abonner à un car club. Les membres peuvent réserver un véhicule quelques semaines ou minutes avant de s'en servir, pour une durée d'une heure ou pour le week-end. Les véhicules sont disposés dans les différents quartiers et l'on peut donc les récupérer près de chez soi au moyen d'une carte électronique. Il faut simplement les ramener au même endroit.

▶ Les assurances

Les nombreuses compagnies proposent rapidement un devis sur leur site Internet ou au téléphone. Comme en France, il est possible d'être assuré au tiers ou tous risques. Vous pouvez faire appel à un courtier en assurances pour vous aider à trouver la meilleure formule.

Infos pratiques

▶ Toutes les infos administratives (permis, immatriculation, etc.) sont sur le site de la Driver and Vehicle Licensing Agency www.dft.gov.uk/dvla

▶ La carte des principales routes www.tfl.gov.uk/assets/ downloads/red-route-map.pdf

▶ État du réseau en direct www.tfl.gov.uk (rubrique « Live travel news »)

▶ Le site de l'Automobile Association regorge d'informations sur les assurances, la conduite, les services d'assistance. Possibilité de souscrire une assurance ou de prendre des leçons avec eux. www.theaa.com

▶ Pour des infos générales, le site du Departement for Transport www.gov.uk/government /organisations/department -for-transport

▶ Pour piloter une moto ou un scooter en toute sécurité www.bikesafe-london.co.uk

▶ Des infos sur la congestion charge www.tfl.gov.uk/roadusers /congestioncharging

▶ Des infos sur les car clubs www.londoncarclubs.co.uk www.carclublondon.co.uk

▶ Pour en savoir plus sur le stationnement www.londoncouncils.gov (rubrique « Our policy work », « Transport » puis « Parking & traffic »)

▶ British Insurance Brokers' Association www.biba.org.uk

▶ Trace
☎ 0845 206 8 602

Les transports au départ de Londres

▶ **Connecté au monde**

Il est facile de rallier ou de quitter Londres. La plupart des grandes compagnies aériennes desservent la ville et il existe des liaisons ferroviaires directes pour l'Europe continentale grâce à l'Eurostar. On peut également s'en aller par mer ou en bus.

▶ **Cinq principaux aéroports**

Avec ses cinq principaux aéroports (Heathrow, Gatwick, Stansted, Luton, City Airport), Londres est le principal hub aérien d'Europe. Les deux les plus proches du centre sont Heathrow (ouest) et le City Airport,

ce dernier étant implanté à une quinzaine de kilomètres seulement du cœur de la ville. Mais tous les cinq sont bien desservis par les transports en commun. Environ 190 000 voyageurs transitent chaque jour par Heathrow, ce qui en fait le plus gros aéroport du monde en ce qui concerne les passagers. Le trafic aérien est saturé dans le ciel de Londres, où le ballet des avions ne cesse que quelques heures pendant la nuit. Les autorités britanniques réfléchissent à l'opportunité de construire d'autres pistes d'atterrissage à Heathrow ou un nouvel aéroport.

▶ **Les vols bon marché**

Les deux compagnies de charters affrétant les vols les moins chers en direction de la France sont easyJet (Paris et province) et Ryanair (nombreuses destinations en régions). Ça peut être meilleur marché que le train, à condition bien entendu de s'y prendre très en avance et d'éviter les périodes de vacances scolaires.

▶ **Eurotunnel**

Il est possible de faire passer son véhicule sous la Manche à bord du Shuttle d'Eurotunnel. Il suffit de se rendre à Folkestone, non loin de Douvres. Le trajet jusqu'à Coquelles, à côté de Calais, dure 35 min. À partir de 23 £ par voiture, pour un aller simple.

▶ Le train

Depuis l'ouverture du service Eurostar dans le tunnel sous la Manche, en 1994, le train est sans nul doute le moyen le plus rapide et le plus agréable pour les liaisons entre le cœur de Londres et le continent. Il faut en effet compter 2 h 15 de trajet entre la gare de Saint Pancras et Paris, 1 h 51 entre Bruxelles et la capitale britannique et seulement 1 h 20 entre Lille et Londres. Pendant la saison de ski, Eurostar dessert également les Alpes suisses et françaises tandis que des trains font route vers Avignon en été. Les prix varient en fonction de la classe choisie, du type de billet, de la saison. Diverses promotions à destination des plus jeunes sont organisées

tout au long de l'année, notamment sur les trajets Paris-Londres. Les enfants de moins de quatre ans n'ont pas besoin de billet à condition qu'ils voyagent sur vos genoux. Mais n'oubliez pas leur pièce d'identité, les douaniers ne feront preuve d'aucune tolérance et ne vous laisseront pas passer même si vous avez le livret de famille.

▶ Les ferries, les bus

On peut également quitter le Royaume-Uni par mer, en embarquant par exem-

ple à Douvres pour rejoindre Calais ou Boulogne. Il existe aussi des liaisons directes vers la Belgique, les Pays-Bas, l'Irlande. Faites jouer la concurrence en comparant les tarifs des diverses compagnies de ferries afin de profiter des meilleurs prix. Pour les moins pressés ou les moins fortunés, des bus rejoignent le continent au départ de Londres (Megabus, Eurolines).

Infos pratiques

- ▶ www.heathrowexpress.com
- ▶ www.heathrowconnect.com
- ▶ www.gatwickexpress.com
- ▶ www.firstcapitalconnect.co.uk
- ▶ www.southernrailway.com
- ▶ www.stanstedexpress.com
- ▶ www.nationalexpress.com
- ▶ www.easyjet.com
- ▶ www.ryanair.com
- ▶ www.eurostar.com
- ▶ www.eurotunnel.com

Pour comparer les prix

- ▶ www.aferry.co.uk
- ▶ www.ferrybooker.com

Accéder aux aéroports

Le meilleur moyen de se rendre à Heathrow consiste à emprunter le Heathrow Express, un train rapide ralliant la gare de Paddington à l'aéroport en 15 min, et ce tous les quarts d'heure. Sur le même parcours, il est aussi possible de monter à bord du Heathrow Connect, plus lent, moins fréquent mais moins cher (19 £ l'aller-retour pour un adulte contre 34 £). La Piccadilly Line dessert aussi Heathrow, mais il faut alors compter environ une heure de Piccadilly Circus. Pour aller à Gatwick, situé à une cinquantaine de kilomètres au sud de Londres, la navette du Gatwick Express au départ de la gare de Victoria constitue la meilleure option. Le trajet dure une demi-heure et le prix de l'aller-retour pour un adulte est de quelque 35 £. Les compagnies de train First Capital et Southern opèrent aussi des services vers Victoria, London Bridge, Clapham Junction ou Saint Pancras. L'itinéraire le plus rapide jusqu'à Stansted, à 60 km au nord-est de Londres, s'accomplit en train de la gare de Liverpool Street avec le Stansted Express. Il y a des trains tous les quarts d'heure, pour un trajet de 45 min (environ 33 £ livres l'aller-retour). Pour Luton, à une cinquantaine de kilomètres au nord-ouest, il est conseillé d'emprunter les trains de First Capital (depuis Saint Pancras). Enfin, le City Airport est facilement accessible en métro (22 min de Bank par le DLR).

L'offre de santé

▶ **Un trésor national**

Le système de santé britannique public, le National Health Service (NHS), est considéré comme un vrai trésor, que le pays tout entier a célébré lors de la cérémonie d'ouverture des jeux olympiques de Londres. Entièrement gratuit, c'est une source de fierté. Le NHS est loin d'être parfait, mais il est performant, malgré les difficultés liées à sa gestion et son financement. Quant au système privé, il est de bonne qualité, mais coûte très cher.

▶ **Trouver un médecin**

Tous les résidents britanniques, quelle que soit leur nationalité, ont accès aux prestations du NHS. Que vous vous rendiez aux urgences ou chez le généraliste, le fameux « General Practicioner », ou GP, vous n'aurez pas à débourser un penny. Dans certains cas, vous devrez payer une partie des frais à la pharmacie pour les médicaments prescrits. Mais il aura fallu au préalable vous faire enregistrer auprès d'un cabinet médical proche de chez vous, où vous devrez vous rendre pour les consultations. Vous devrez prouver que vous souhaitez vivre de façon permanente dans le pays, que vous y avez une adresse même si vous y résidez temporairement, et que vous avez le droit d'y habiter. Les démarches peuvent prendre quelques minutes… ou plusieurs jours en fonction des cabinets, qui demandent souvent deux « utility bills » comme justificatifs de domicile. Une fois que vous serez inscrit, votre époux(se) ainsi que vos enfants pourront eux aussi bénéficier des soins gratuits. Chaque membre de la famille recevra une medical card comprenant un numéro NHS et les coordonnées du cabinet médical référent.

▶ **Le GP, médecin généraliste**

La première rencontre avec un GP a de quoi surprendre. Sachez d'abord qu'on ne le choisit pas. En cas de maladie, on appelle son cabinet médical pour un rendez-vous avec l'un des praticiens du centre et, bien souvent, vous n'aurez pas affaire au même docteur à chaque fois que vous vous y rendrez. Ne vous attendez pas non plus à un examen très poussé. Le médecin se focalisera sur le problème que vous lui indiquez, la consultation durera moins d'un quart d'heure et il aura passé son temps derrière son ordinateur ! C'est parfois un peu déroutant et agaçant, surtout pour le suivi des enfants, qui ne sont quasiment jamais pesés ni mesurés. Les praticiens britanniques n'examinent que rarement leurs patients et ne vous approcheront pas de trop près. Attention, ils ne sont pas distants pour autant et sont même plutôt chaleureux.

▶ **Les spécialistes**

Pour consulter un spécialiste, par exemple un gynécologue ou un chirurgien, vous devrez d'abord passer par votre GP. Vous pourrez choisir l'hôpital ou la clinique où vous souhaitez vous rendre, mais il faudra obtenir l'aval de votre généraliste, ce qui n'est pas gagné.

Pour réduire les coûts, le GP vous suggérera sans doute des traitements alternatifs. Sachez aussi que les listes d'attente chez les spécialistes du public sont souvent longues (un ou deux ans) pour certaines opérations et qu'un aller-retour en France sera sans doute plus efficace. Vous avez aussi la possibilité de consulter un spécialiste dans le privé sans passer par le GP mais vous ne serez alors pas remboursé.

▶ **Les urgences**
En cas d'accident ou d'urgence et que vous n'êtes pas en mesure de vous déplacer pour vous faire soigner, il faut composer le 999 pour bénéficier d'une ambulance. Londres compte de nombreuses urgences fonctionnant 24 heures sur 24 et sept jours sur sept. Vous y serez très bien pris en charge avec le plus grand sérieux, mais des fermetures de services sont prévues au cours des prochains mois afin de réduire les coûts. Pour les bobos légers, allez dans l'un des walk-in-centres de la ville où vous serez examiné sans rendez-vous, souvent par une infirmière.

▶ **Génériques et automédication**
Les médecins britanniques prescrivent les médicaments avec parcimonie et il est rare de se retrouver sous antibiotiques après une consultation. Les GP ne prescrivent que le nécessaire pour la durée du traitement, le plus souvent en version générique, et il est donc impossible de stocker des médicaments à domicile pour se constituer sa petite pharmacie. On trouve en revanche beaucoup plus de médicaments délivrables sans ordonnance qu'en France, y compris des crèmes à base de corticoïdes, et l'automédication est très répandue.

▶ **Les soins payants**
Même dans le public, il arrive que le malade doive payer une partie des frais liés à certains soins, notamment dentaires ou ophtalmologiques. Pour les dents, les tarifs varient en fonction des traitements. En vertu des barèmes valables en 2013,

Quel régime pour les Français ?

Les Français installés à Londres dotés d'un statut d'expatriés relèvent du système de la sécurité sociale britannique et doivent cotiser auprès de la Caisse des Français de l'étranger (CFE) s'ils veulent continuer à bénéficier du régime d'assurance-maladie de l'Hexagone. La CFE propose trois couvertures : maladie, maternité, invalidité ; accidents du travail et maladies professionnelles ; vieillesse. Tous les détails concernant l'adhésion et les cotisations sont consultables sur le site de la CFE. Le conjoint, sans activité, à charge et sans ressource peut être ayant droit sur le compte CFE, sans cotisation supplémentaire, tout comme les enfants scolarisés. Inconvénient, la CFE limite ses remboursements aux tarifs conventionnés en vigueur dans l'Hexagone et il peut être intéressant de prendre une complémentaire. La CFE propose une liste d'assureurs français sur ses pages. Les salariés détachés en poste au Royaume-Uni pour une courte durée peuvent quant à eux continuer à cotiser au régime de la Sécurité sociale.

Pour en savoir plus : > le site de la CFE www.cfe.fr
la liste des assureurs français > www.cfe.fr (rubrique
« Nos partenaires » puis « Assureurs complémentaires »)
pour continuer à cotiser au régime français de la Sécurité
sociale > www.ameli.fr (cliquer sur « Entrée… »
dans la rubrique « Vous êtes assuré »,
puis saisir « étranger » dans le champ de recherche)

> *Globalement, les médecins sont compétents. Ils font preuve d'un grand respect envers leurs patients. C'est donc idiot de rejeter en bloc le système public anglais et les urgences, qui fonctionnent plutôt bien. Les deux problèmes majeurs, ce sont certains GP ainsi que les listes d'attente. Les futurs expatriés optant pour le système public vont mettre du temps à s'inscrire auprès d'un cabinet, se rendront compte qu'ils n'ont pas de médecin attitré et vont comprendre qu'il est compliqué de planifier un rendez-vous. Enfin, ils pourront être étonnés par les prescriptions : pour une angine, du paracétamol Et au bout de la troisième visite, on daignera prescrire de l'amoxycilline !*

Alma, 37 ans,
consultant NHS

il faudra compter entre 18 £ (simple diagnostic ou détartrage) et 214 £ (couronne ou bridge). Pour les plus fortunés, l'offre du privé est abondante et d'excellente qualité. Dans le centre de Londres, Harley Street jouit d'une excellente réputation à travers le monde entier. Plus de 1 500 spécialistes y sont installés, mais le tarif des consultations n'est pas à la portée de toutes les bourses.

▶ **Les assurances santé**

Souscrire une complémentaire est indispensable pour avoir accès au privé sans se ruiner. Environ 7 millions de Britanniques en ont une. De nombreux expatriés bénéficient de l'assurance contractée par leur employeur. Pour les autres, les cotisations varieront en fonction du niveau de couverture, de l'âge, de l'état de santé, de la situation professionnelle et des revenus. Les deux compagnies les plus connues, Bupa et Axa PPP, fournissent des devis en ligne très rapidement. Faites attention en tout cas avant de souscrire une assurance qu'elle couvre bien tous les membres de votre famille. En moyenne, pour un an, un quadragénaire bien portant paiera entre 500 et 800 £ pour sa complémentaire santé, une somme pouvant grimper jusqu'à 3 000 £ pour les personnes âgées. De plus en plus de Britanniques choisissent le « self pay », un système qui consiste à se créer une sorte de tirelire rémunérée auprès d'une compagnie d'assurance que l'on utilise en cas de besoin. Une bonne option, à condition d'éviter les opérations à répétition.

▶ **Les médecins français de Londres**

Les expatriés souhaitant consulter des praticiens français n'ont que l'embarras du choix. Leur liste est disponible sur le site de l'ambassade de France. Situés dans le quartier de South Kensington, La Maison Médicale et Medicare Français sont des centres où officient des généralistes et des spécialistes bilingues. Le Dispensaire Français propose quant à lui des rendez-vous du lundi au vendredi avec des généralistes et des spécialistes francophones exerçant bénévolement. L'inscription est de 10 £ pour une année et la consultation de 10 £ également. Mais les éventuels examens de laboratoire et radiographies seront à la charge du patient.

Infos pratiques

▶ **Numéro d'urgence**
☎ 999

▶ **Assurances santé**
www.axapphhealthcare.co.uk
www.bupa.co.uk

▶ **Chelsea and Westminster Hospital**
369 Fulham Road, SW10 9NH
☎ 020 8746 8000

▶ **Guy's and St Thomas' Hospital et Evelina Children's Hospital (pédiatrie)**
Westminster Bridge Road, SE1 7EH
☎ 020 7188 7188

▶ **University College London Hospital**
235 Euston Road, NW1 2BU
☎ 020 3456 7890

▶ **Centres médicaux bilingues**
www.lamaisonmedicale.co.uk
www.medicare-francais.co.uk
www.dispensairefrancais
.org.uk

▶ **Urgences et walk-in centres**
www.nhs.uk/service-search

▶ **Les spécialistes d'Harley Street**
www.harleystreetguide.co.uk
www.harleystreetmedical.
com

La Maison Médicale

vous accueille à Londres

10 Cromwell Place, SW7 2JN
M° : South Kensington

Renseignements et Rendez-vous
020 7589 9321

www.lamaisonmedicale.co.uk

TOUTES LES GRANDES SPÉCIALITÉS MÉDICALES

ANGÉIOLOGIE/PHLÉBOLOGIE • DERMATOLOGIE • DIÉTÉTIQUE
ECHOGRAPHIE • ENDOCRINOLOGIE • ESTHÉTIQUE DES JAMBES
GASTRO-ENTÉROLOGIE/PROCTOLOGIE • GYNÉCOLOGIE
MÉDECINE FONCTIONNELLE • NUTRUTION • NEUROLOGIE
OPHTALMOLOGIE • OSTÉOPATHIE • OTO-RHINO-LARYNGOLOGIE
MÉDECINE DU VOYAGE • PÉDIATRIE • PNEUMOLOGIE-ALLERGOLOGIE
PSYCHIATRIE • RHUMATOLOGIE • PSYCHOLOGIE • SAGE-FEMME • SOINS INFIRMIERS

NREGISTRÉ ET AGRÉÉ PAR LE CARE QUALITY COMMISSION, AUTORITÉ GOUVERNEMENTALE DE LA SANTÉ

Votre nouvelle vi))e
est dans « Les guides s'installer à »

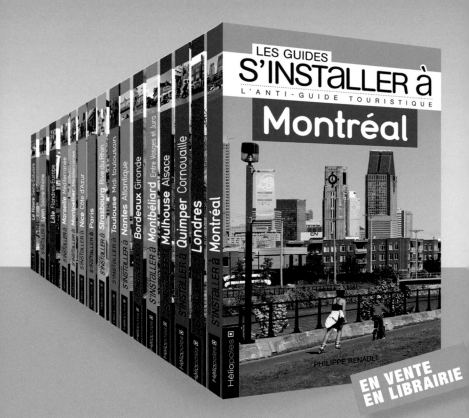

LES GUIDES
S'INSTALLER à
L'ANTI-GUIDE TOURISTIQUE
Montréal

PHILIPPE RENAULT

EN VENTE EN LIBRAIRIE

La sécurité

▶ Une ville sûre

Londres est une ville où l'on peut se promener sans craindre de se faire agresser. Le nombre d'homicides y a récemment atteint son niveau le plus bas depuis les années 60 (moins de 100 personnes tuées) et, selon Scotland Yard, la capitale britannique est aujourd'hui *« l'une des villes les plus sûres de la planète »*.

▶ Des caméras partout

Avec des dizaines de milliers de caméras CCTV installées dans les rues, Londres est considérée comme la ville la plus surveillée du monde. Selon certaines estimations, il y aurait près d'une caméra de surveillance pour 15 habitants (4 millions dans le pays). Le Londonien lambda serait ainsi filmé environ 300 fois par jour!

▶ Autobus de nuit

La BBC a mené l'enquête : la criminalité dans les bus de nuit a augmenté de près de 50% au cours des deux dernières années. Transport For London (TFL) a prévu d'accroître le nombre de patrouilles de police dans ces autobus mais souligne toutefois qu'on ne compte qu'un vol pour 200 000 trajets aux premières heures du jour en moyenne sur son réseau.

▶ Gangs et quartiers

Il est difficile d'établir une géographie de la délinquance dans la capitale. Contraire-

ment à Paris, il n'y a pas ici de séparation nette entre cités de banlieue et centre-ville. On trouve des poches de criminalité dans des périmètres aussi huppés que Chelsea, où les dealers opèrent dans les immenses tours de la cité du World's End. Brixton, dans le borough de Lambeth, pourrait briguer le titre de quartier le plus cool de Londres mais certaines zones sont occupées par des gangs très organisés responsables chaque année d'homicides. Quelques cités, *estates,* des boroughs de Newham, Hackney, Lewisham, Tower Hamlets sont aussi contrôlées par les bandes. Selon la Metropolitan Police, environ 250 gangs sévissent dans Londres. Ils seraient responsables d'un crime sur sept commis dans la ville.

▶ Agressions

Chaque année à Londres, environ 4 000 personnes sont blessées lors d'une attaque à l'arme blanche. Pour tenter de résoudre ce problème, la Metropolitan Police a créé une unité spéciale qui a procédé à plus 4 500 arrestations en quatre ans.

▶ Comment s'adresser à la police ?

En cas d'urgence, il faut composer le 999. Pour faire état d'un incident mineur ou d'un crime ou d'un délit qui s'est déjà déroulé, il convient d'appeler le 101. Il est également possible de déclarer un incident en ligne ou tout simplement de se rendre dans l'un des commissariats de la ville.

Infos pratiques

▶ **Numéro d'urgence**
☎ 999

▶ **Metropolitan Police**
content.met.police.uk/Home

▶ **Statistiques
de la criminalité**
data.london.gov.uk
**(saisir « crime figures »
dans le champ de recherche)**

Se loger
à Londres

Le marché et le parc immobiliers

Pas de panique ! Si les prix de l'immobilier frisent l'indécence à Londres, se loger est toujours possible.

▶ Londres, ville (très) chère

Se loger à Londres est horriblement onéreux. La demande y est supérieure à l'offre, et les prix varient aussi terriblement en fonction des quartiers et du type d'habitat. Paradoxalement, il est donc plutôt facile de trouver un toit dans la capitale britannique, même quand on ne roule pas sur l'or, à condition, bien sûr, de ne pas avoir des exigences démesurées. Globalement, malgré les crises économiques successives, malgré la récession frappant le pays et en dépit des inquiétudes des Anglais pour leur avenir, l'immobilier ne cesse d'augmenter. Certains quartiers dont on disait voilà cinq ans qu'ils avaient atteint leur pic ont pris 30 % depuis, et les spécialistes ne voient aucun signe de ralentissement. Pour preuve, une gigantesque propriété avec vue sur Hyde Park se négociait à la vente à 300 millions de livres sterling à l'automne 2012 et le prix moyen d'une location dans la capitale s'élevait à environ 1 300 £ par mois.

▶ Tendance haussière

Par rapport au reste de l'Angleterre, où les loyers restent modérés, Londres et le Sud-Est font figure d'exception. Des chiffres publiés récemment par l'Office national des statistiques ont ainsi révélé que le coût moyen des propriétés en Grande-Bretagne chuterait de 234 000 à 188 000 £ si l'on ne tenait pas compte des prix dans la capitale britannique et dans le Sud-Est. Entre les mois d'août 2011 et 2012, le prix moyen des logements a augmenté de 5,7 % à Londres et le coût moyen d'une maison dans la capitale est désormais d'environ 397 000 £ (70 % de plus que la moyenne du reste du Royaume-Uni). Mais pas d'inquiétude pour autant : on trouve toujours quelque chose dans la capitale britannique, et plutôt vite, que l'on soit étudiant à la recherche d'une colocation ou père de famille en quête d'un appartement luxueux aux abords du lycée français de South Kensington.

▶ Un marché souple et dynamique

En matière de logement, comme à peu près partout ailleurs, tout va très vite à Londres. Le marché immobilier est tendu, mais surtout pas figé. Les règles sont souples mais les bonnes affaires, rares. Pour autant, un étudiant débarquant de l'Eurostar à la gare de Saint Pancras pourra trouver une chambre chez l'habitant, un studio ou une colocation en l'espace d'une semaine, si ce n'est quelques heures. Pour les appartements plus grands et les familles cherchant davantage de sécurité, un délai de trois semaines n'est pas irraisonnable. Il est recom-

mandé de commencer ses recherches avant d'arriver ici, sur Internet, en délimitant les zones où l'on désire vivre. Contrairement à Paris, Londres est une ville immense, avec des banlieues intégrées dans la métropole ; il est donc important de savoir où l'on veut s'installer avant d'y débarquer pour ne pas perdre un temps fou : les appartements et les maisons ne restent pas longtemps sur le marché et il faut se décider rapidement.

▶ Cibler sa recherche

Londres est constitué de 33 boroughs et la carte des transports de la ville est divisée en six zones concentriques (les 1 et 2 correspondent au centre ; c'est là que les prix sont les plus élevés). En pratique, délimitez cinq quartiers avant votre arrivée et venez ensuite juger sur pièce. Il est possible de signer un bail de France, mais les transactions à distance s'avèrent en général risquées. Pensez d'abord à ce que vous voulez. Le calme et la tranquillité des secteurs résidentiels du Sud-Ouest ou la frénésie et l'hédonisme de l'Est, qui ne dort jamais ? La proximité d'une école

française ou la possibilité de vous rendre rapidement à votre travail ? Le métro londonien n'étant pas particulièrement rapide, il est vital de se fixer des temps de transports maximaux jusqu'aux lieux rythmant son quotidien si l'on ne veut pas que son expatriation tourne au cauchemar. Avant de signer un bail, testez les parcours jusqu'à l'école, la crèche, votre bureau. Décidez avant de partir si vous vous déplacerez avec votre véhicule personnel, auquel cas vous devrez alors penser à trouver une rue où vous garer, ou une maison ou une résidence avec parking. Prévoyez ensuite un budget maximal et consultez les sites spécialisés qui vous fourniront des tarifs moyens de location selon l'habitat que vous recherchez, voire des estimations en fonction des codes postaux ou des quartiers.

▶ Agences, sites Internet et particuliers

Contrairement à la France, recourir à une agence immobilière ne coûte pas cher. Les frais d'agence sont à la charge du propriétaire tandis que les locataires ne supportent que les coûts de

Petit lexique de l'habitat

Detached house : une maison individuelle avec jardin qui n'a pas de murs communs avec les maisons voisines.

Semi-detached house : une maison qui a été partagée en deux logements mitoyens avec un petit jardin à l'arrière.

Terraced houses : des rangées de maisons au style uniforme.

Flat : un appartement.

dossier, entre 80 et 200 £. Ratissez large et contactez le maximum de professionnels en leur donnant le plus de critères possibles environ un mois avant votre date d'arrivée. Cela ne sert à rien de s'y prendre plus tôt. Calez ensuite des rendez-vous et des visites étalées sur cinq jours, un délai suffisant pour trouver un logement. En plus du réseau des agences et des sites Internet, vous pouvez également consulter les petites annonces publiées dans des journaux et des sites tels Gumtree ou The Loot, particulièrement si vous êtes en quête d'une colocation. Méfiez-vous cependant des annonces trop belles qui omettent de mentionner des charges exorbitantes. Il est aussi possible de faire appel à une agence de mobilité internationale, *relocation agency,* qui s'occupera de tout à votre place, de la recherche à l'installation dans les murs jusqu'à vous ouvrir un compte bancaire ou trouver une école.

▶ Location, mode d'emploi

Une fois que vous avez déniché ce que vous cherchez, faites tout de suite une offre qui sera transmise au propriétaire, le *landlord.* Il y a toujours moyen de négocier, mais n'espérez pas faire baisser le loyer mensuel de plus de 50 £. Si votre offre est retenue, vous devrez ensuite passer l'étape de la sélection, le « tenant screening ». À Londres, vous n'aurez pas besoin de garant, mais le propriétaire voudra s'assurer que son locataire, le *tenant,* a les moyens de le payer. Il mandatera donc une société chargée de vérifier que vous faites bien partie des effectifs de votre entreprise et que vous percevez le salaire que vous lui avez annoncé. Attention, comme en France, le montant du loyer ne doit pas dépasser un tiers des revenus pour que l'offre soit retenue. Le screening servira aussi au propriétaire pour obtenir des renseignements auprès de vos anciens loueurs pour s'assurer que vous êtes un bon payeur. Bien entendu, ces vérifications seront à vos frais.

▶ Contrats favorables au propriétaire

Si, en France, le locataire est très bien protégé, on privilégie les droits du propriétaire au Royaume-Uni. Le contrat de location le plus courant est d'une durée d'un an et peut être accompagné d'une « break clause » de six mois pour les deux parties, qui autorisera le propriétaire comme le loueur à mettre un terme à l'accord avant que la période de location ne soit arrivée à échéance. On est loin du contrat type en 3-6-9 à la française offrant une sécurité aux locataires. Et si vous ne payez pas en temps voulu, méfiez-vous des gros bras qui seront envoyés pour vous faire déguerpir manu militari, même en hiver…

▶ Trouver un logement sans emploi

Sans contrat de travail, la recherche d'un logement au loyer élevé sera difficile, mais pas impossible. Peut-être devrez-vous acquitter plusieurs semaines ou mois de loyer à l'avance à moins que votre garant justifie de ressources importantes et stables pour arracher l'accord du propriétaire.

▶ État des lieux, dépôt de garantie, assurance

L'état des lieux n'est pas obligatoire. Il est généralement à la charge du propriétaire à l'entrée dans l'appartement et à la vôtre quand vous en sortirez. S'il est établi, l'état des lieux est très détaillé, avec un descriptif de chaque pièce ainsi que des photos. Si votre propriétaire ne l'exige pas, sachez qu'il lui sera compliqué, quand vous quitterez le logement, de vous réclamer des réparations pour les éventuels dégâts puisqu'il n'aura aucun moyen de prouver que vous en êtes responsable. Les appartements et maisons sont couverts par les propriétaires. En revanche, il vous reviendra, comme en France, de faire assurer vos biens si vous le souhaitez. Pour les contrats de location standard, le montant du dépôt de garantie s'élèvera généralement à six semaines de loyer. Il était difficile de le recouvrer, mais un nouveau dispositif légal, introduit en 2007, stipule qu'il doit être désormais déposé sur un compte spécial bloqué, ce qui garantit au locataire de le récupérer. En plus du dépôt de garantie, on vous demandera le plus souvent de payer un mois de loyer en avance.

Passer par une agence est à Londres monnaie courante.

▶ Louer un meublé

Le marché des meublés est beaucoup plus développé en Angleterre qu'en France. Si vous n'avez pas l'intention de rester plus de quelques mois à Londres, il est ainsi inutile d'envisager un déménagement de tous vos meubles, souvent onéreux. Le dynamisme du marché du meublé s'explique notamment par les avantages légaux procurés aux propriétaires, qui ont la possibilité de se séparer rapidement de leurs locataires. Pas étonnant, du coup, que ces derniers ne songent pas à installer tous leurs meubles dans un appartement qu'ils pourraient être forcés de quitter au bout de quatre mois. Sachez en tout cas qu'il y a peu de différence de prix entre un meublé, *furnished,* et un non-meublé, *unfurnished.*

▶ La colocation

À Londres, la colocation, le *flatsharing,* est monnaie courante. Pour les étudiants et les jeunes actifs, c'est le moyen le moins cher pour habiter Londres, avec des loyers hebdomadaires compris entre 80 à 180 £ selon les secteurs. Attendez d'avoir trouvé un emploi avant de chercher votre logement. De nombreuses entreprises spécialisées dans la colocation offrent des garanties sur la qualité de l'habitation et les frais. Assurez-vous que les prix annoncés comprennent bien toutes les charges – les logements londoniens sont mal iso-

> ❝ *Le marché de l'immobilier est tout simplement fantastique, il y a beaucoup de choix. Les propriétaires savent qu'ils peuvent virer les gens facilement, ils se posent donc moins de questions sur le locataire qu'en France, où, à l'âge de 30 ans, on exige encore une caution parentale. Jamais on ne vous demanderait ça ici, ce serait vu comme délirant. Depuis que j'ai débarqué à Londres, en 2000, je ne compte plus le nombre de fois où j'ai déménagé. Tout est si facile. À mon arrivée, en plein divorce, j'ai d'abord loué une chambre avec ma nouvelle compagne dans une colocation, car je ne savais pas si j'allais rester longtemps. On s'est ensuite trouvé un petit appartement en zone 1. Après être passés par Hampstead et Ealing nous sommes maintenant à Camberwell, dans le sud. Même sans travail salarié, je ne me suis jamais heurté au moindre refus d'un propriétaire. Vous imaginez ça en France, où on vous réclame les trois derniers avis d'imposition ? Pour moi, à Londres il n'y a que des avantages quand il s'agit de louer un logement.* ❞
>
> Joël, 52 ans,
> trader indépendant

lés et les factures d'énergie peuvent faire très mal – et renseignez-vous sur vos futurs colocataires avant de vous engager. Il se peut aussi que vous deviez partager votre chambre ! Posez donc le maximum de questions pour éviter les mauvaises surprises, surtout si le propriétaire est enva-

Se loger à Londres

❝ Je suis arrivé à Londres en juin 2010. Je connaissais quelqu'un qui habitait ici depuis plus de dix ans et qui m'a aidé à trouver un logement. Je voulais une chambre proche du centre et pas chère, avec l'idée d'emmenager dans quelque chose de mieux ensuite. Le fait est que j'y suis toujours ! Londres est une ville particulièrement chère, les loyers sont colossaux. Quand tu es célibataire et que tu veux vivre seul, il te faut au minimum 2 000 £ par mois de revenus, sinon tu ne t'en sors pas. Tu es contraint de vivre en colocation. Cette ville n'est pas taillée pour les célibataires. Je partage une grosse maison à l'anglaise à Clapton, près de Hackney, avec sept personnes. Nous avons chacun notre chambre, et le propriétaire y vit aussi, c'est donc parfois un peu pénible car il se comporte en patron. Je paie 410 £ par mois, de la main à la main. Correct pour un logement en zone 2. ❞

Ludovic, 35 ans, ingénieur du son en free lance

hissant. Les témoignages de colocataires ulcérés par les visites impromptues de landlords tatillons ne sont pas rares. Il est aussi très facile de trouver des chambres à louer chez l'habitant à des prix intéressants.

▶ Les contrats de courte durée

Les flux de voyageurs venus du monde entier sont importants à Londres et le marché de la location de courte durée est extrêmement développé. Pour les grandes maisons et les appartements familiaux, on peut signer des contrats de location allant de deux à quatre mois. Le loyer sera plus élevé qu'avec un contrat plus long. Pour les expatriés à très court terme, de nombreux bed and breakfast proposent des chambres bon marché à la nuit et le réseau des apparts hôtels est également bien développé.

▶ La council tax

Avant de choisir le quartier où vous allez vous installer, renseignez-vous sur le montant de votre « council tax ». Cet impôt local, dont le montant varie en fonction des boroughs et de la valeur immobilière du logement, sert à payer des services tels que le recyclage et la collecte des ordures. La council tax la moins chère se trouve à Wandsworth, où vous paierez environ 1 400 £ par an pour les propriétés les plus onéreuses alors que vous devrez débourser à peu près 1 000 £ de plus pour le même type d'habitat dans le borough de Lambeth, dont certains quartiers jouxtent pourtant ceux de Wandsworth.

▶ Acheter ?

Dans un contexte de pénurie de logements, il est plus avantageux d'acheter que de louer quand on en a les moyens. Chrystelle Merabli, directrice de la société Krystel Ann Properties, spécialisée dans l'investissement immobilier à l'international, estime que Londres est une valeur sûre. « Les Anglais ont une culture et une passion pour l'immobilier, dit-elle. Depuis la Seconde Guerre mondiale, le prix des biens de la région londonienne a doublé en moyenne toutes les décennies. Il n'est donc pas rare de rencontrer des investisseurs qui ont pu créer de véritables fortunes en investissant leurs économies à Londres. Bien sûr, il y a des secteurs plus accessibles que d'autres, des quartiers en croissance et d'autres qui subissent la crise. Mais il y a en moyenne six demandeurs pour un logement à

CHASSEUR IMMOBILIER
Acquisition & Location

Nous pouvons vous aider à trouver la propriété idéale !
Londres, New-York, Paris, Lisbonne, Côte d'Azur ...

« En tant qu'investisseur immobilier expatriée, je sais
combien il est difficile de trouver un agent immobilier
qui a vos intérêts à cœur.
C'est pourquoi j'ai créé Krystel Ann Properties.
Nous vous offrons, vous et votre famille un
SERVICE PERSONNALISE »

Ms Chrystelle Merabli, Directeur.

BABEL - Crédit photo: Bruno Pellarin.

AVEC LA CFE, VOUS QUITTEZ LA FRANCE SANS QUITTER LA SÉCURITÉ SOCIALE.

La Caisse des Français de l'Étranger est le seul organisme à proposer aux expatriés une protection sociale « à la française ». Grâce à elle, les expatriés bénéficient d'une couverture qui s'inscrit dans le cadre des exigences de la Sécurité sociale française.
www.cfe.fr

cfe
Caisse des Français de l'Étranger
La Sécurité sociale des expatriés

louer. » Selon elle, la crise financière a incité les promoteurs à bâtir des habitations dans les zones où les terrains sont peu chers et les constructions d'habitats sociaux sont inférieures à la demande. *« D'autres promoteurs se sont spécialisés dans le haut de gamme et ne construisent que des logements luxueux et inaccessibles pour les travailleurs londoniens, poursuit-elle. Sur un an, la hausse subie par les locataires a été de 4 %, soit environ 41 £ de plus sur le montant mensuel du loyer. »*

▶ Freehold et leasehold

Pour un Français récemment arrivé, acheter en «leasehold» ou «freehold» peut s'avérer déconcertant. Un grand nombre de maisons et surtout d'appartements sont en effet vendus en leasehold, qui correspond à la nue-propriété. Ainsi, sous ce régime, vous devenez propriétaire du bâti et non pas du terrain, qui vous est loué par le propriétaire du terrain, le freeholder. Le leasehold, un peu comme les baux commerciaux en France, a généralement une durée de 99, 125 ou 999 ans. Il peut être renégocié et même racheté au freeholder. Surtout, avant d'acquérir un bien, renseignez-vous sur le nombre d'années restant sur le leasehold. Il est recommandé de ne pas acheter si le bail court sur moins de 80 ans. Si vous optez pour le freehold, la meilleure solution, vous serez propriétaire du terrain et du logement. Il existe aussi un système de copropriété, le *commonhold.*

Infos pratiques

▶ **Location et achat**
www.rightmove.co.uk
www.findaproperty.com
www.primelocation.com
www.zoopla.co.uk
www.gumtree.com
www.propertywide.co.uk
www.nestoria.co.uk
www.home.co.uk
www.net-lettings.co.uk
www.propertylive.co.uk

▶ **Colocation**
www.spareroom.co.uk
www.uk.easyroommate.com
www.moveflat.com
www.flatshare.com
www.easylondonaccommodation.com
www.gumtree.com
www.loot.com

▶ **Centre d'échanges internationaux**
Pour des solutions bon marché chez l'habitant, en résidence, en auberge de jeunesse, à l'hôtel ou en colocation, vous pouvez vous adresser au Centre d'échanges internationaux. Des stages, des jobs ainsi que des formations en anglais y sont aussi proposés.
www.cei-london.com

▶ **Agences immobilières**
Les agences immobilières fourmillent dans Londres. Pour une liste complète, visitez le site de l'association des agents immobiliers.
www.naea.co.uk/estate-agent
-search/area/london

▶ **Relocation**
Les agences de mobilité internationale offrent des solutions clés en main.
www.arp-relocation.com

▶ **Auberges de jeunesse et résidences universitaires**
www.yha.org.uk
www.ish.org.uk
www.london-hostels.co.uk
www.london.ac.uk/accom.html

▶ **Aides au logement (council tax benefit et housing benefit)**
www.gov.uk/housing-benefit
www.gov.uk/council-tax-benefit

▶ **Informations détaillées sur les boroughs**
www.directory.londoncouncils
.gov.uk

À Londres, la demande de logements sociaux est supérieure à l'offre.

Quel Londres vous correspond ?
1. Le Londres chic

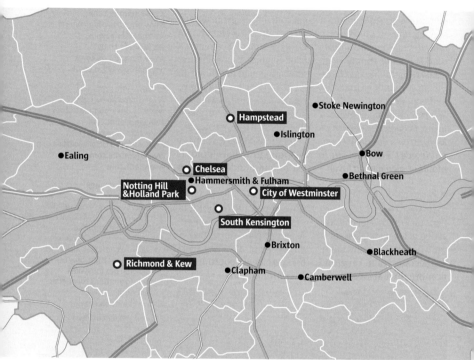

Les loyers hebdomadaires moyens en livres sterling à Londres et par borough

	Chambre en collocation	Studio	1 chambre	2 chambres	3 chambres	4 chambres et plus
Londres	92	173	225	280	323	500
Kensington & Chelsea	147	281	440	600	1088	1900
City of Westminster	142	280	375	550	797	1478
Camden	124	240	325	435	568	700
Richmond	89	173	225	300	398	640

Source : Valuation Office Agency et Mairie de Londres, 2012.

Prix moyens à l'achat des logements à Londres en livres sterling		
	Londres	**458035 (variation annuelle : +9,3 %)**
	Kensington & Chelsea	1498635 (variation annuelle : +20,2 %)
	City of Westminster	1159022 (variation annuelle : +23,2 %)
	Camden	766899 (variation annuelle : +13,4 %)
	Richmond	NC

Source : UK and Wales Land Registry, période avril-juin 2012.

▶ Londres chic et cher

« Dans ces quartiers, ne vous faites pas d'illusion. À moins de 350 £ par semaine, vous vous retrouverez dans une boîte à chaussures. » Sarma Franklyn, agent immobilier spécialisé dans la location pour l'agence JAC Strattons, connaît bien le prix du rêve. Vous voilà donc prévenu.

▶ Belgravia et Mayfair

Les secteurs de Belgravia et Mayfair sont situés au cœur de Londres, dans la City of Westminster. Jouxtant Hyde Park, ils attirent les milliardaires du monde entier et vous devrez bénéficier d'un budget sans limites pour résider ici. Mayfair doit son nom à la fête qui y fut organisée pendant près de 100 ans avant son interdiction, en 1764. Le quartier est aujourd'hui un temple du luxe et l'on y trouve quelques-uns des meilleurs restaurants de la ville. Les bars et lieux de sortie ne manquent pas non plus dans la partie comprise entre les stations de métro Bond Street et Green Park. Toute la zone autour de Shepherd Market, une place aux magnifiques immeubles en briques située entre Piccadilly et Curzon Street, est extrêmement agréable. On se croirait dans un village. Mayfair est parfaitement desservi par les transports en commun. Mais si vous n'aimez pas le bruit, optez pour Belgravia, un périmètre plus calme aux délicieuses petites places aménagées en jardins. Les grandes demeures en stuc blanc (Bel-

Le périmètre de Mayfair est l'un des plus huppés de la ville.

grave Square, Eaton Square, Wilton Crescent, Lowndes Square) attirent une population richissime, chic et snob, dans un environnement privilégié coupé du reste du monde.

▶ Chelsea

Le quartier de Chelsea s'organise tout au long de son artère principale, King's Road. Célèbre du temps du Swinging London des années 1960 puis pendant le mouvement punk, la rue est aujourd'hui truffée de boutiques, de bars, de cinémas et de restaurants qui attirent la jeunesse dorée londonienne. Le secteur accueille notamment la galerie d'arts Saatchi ainsi que le Royal Court Theatre, situé à côté de la station de métro Sloane Square. Surplombant Sloane Square, le grand magasin Peter Jones, installé dans un magnifique immeuble art moderne, est très prisé des classes moyennes supérieures qui trouvent leur bonheur dans cet équivalent des Galeries Lafayette. Saatchi est installé sur le

Duke of York Square, un espace piéton agréable doté de boutiques et de restaurants. Les jets d'eau de la place sont agréables pour les enfants en été. Quant aux petites rues perpendiculaires à King's Road, elles sont garnies de maisons colorées. Difficile de trouver un studio à moins de 1 300 £ par mois ici ou une maisonnette de trois ou quatre chambres à moins de 1 100 £ par semaine… La zone la plus pauvre du quartier se trouve à l'autre bout de King's Road, près de la Tamise, où siège un ensemble de sept tours, le World's End Estate, érigées dans les années 1970.

▶ South Kensington

À l'instar de Chelsea, le secteur de South Kensington est situé dans le borough de Kensington & Chelsea. Il attire la majeure partie de la communauté française et a été rebaptisé la Frog Valley. Trois des plus prestigieux musées de Londres (Victoria & Albert Museum, Science Museum,

Outre King's Road, Chelsea compte de nombreuses ruelles calmes et colorées. | Difficile d'imaginer que No

Natural History Museum) sont installés sur Cromwell Road et sur Exhibition Road, tout près du lycée français Charles-de-Gaulle, du consulat et de l'Institut français. Un studio se loue environ 350 £ par semaine et ne reste en général que quelques jours sur le marché. Comptez quelque 1 200 £ hebdomadairement pour un appartement de trois chambres. Le quartier, fort bien desservi par les bus et les métros (trois stations), est construit autour de grandes artères mais s'enorgueillit aussi de ses charmantes ruelles qui donnaient accès aux écuries, les *mews*. Les immeubles blancs de style georgien aux façades immaculées sont superbes et l'on trouve aussi de grandes maisons avec jardins. Les écoles et les restaurants du quartier sont réputés, comme les boutiques de High Street Kensington. On est aussi tout près de Hyde Park pour un bol d'air frais. Attention! Si vous avez choisi de quitter la France pour le dépaysement,

évitez le secteur, vous n'y passerez pas un jour sans y entendre parler votre langue.

▶ Notting Hill et Holland Park

Difficile d'imaginer que ce périmètre situé au nord-ouest de Kensington Gardens était à l'abandon il y a une cinquantaine d'années seulement. Rendu célèbre à l'étranger par le film *Coup de foudre à Notting Hill*, avec Hugh Grant et Julia Roberts, Notting Hill accueille tous les ans le plus grand carnaval de rue d'Europe pour une célébration de la culture caribéenne, un héritage de la forte présence jamaïquaine dans les années 1970. À première vue, le quartier n'a rien d'exceptionnel, surtout quand on arrive par le métro Notting Hill Gate. La rue principale est bordée de succursales de grandes chaînes et la circulation

Luxe campagnard à Richmond et Kew

Si vous aimez la ville à la campagne, ces deux quartiers du borough de Richmond upon Thames, l'un des plus riches de la ville et sans aucun doute le plus vert, sont pour vous. Située dans le sud-ouest de Londres, la petite agglomération de Richmond possède un charme irrésistible et le tarif des locations y est élevé malgré l'éloignement. Cela dit, ce havre de paix posé sur une colline au bord de la Tamise n'est qu'à une demi-heure de la City en métro ou en train. Richmond, qui offre un magnifique panorama sur la Tamise, est l'une des adresses les plus courues de Londres. Les écoles privées y sont excellentes, mais très chères. Au nord-ouest de Richmond Park, le plus grand parc de Londres, se trouve Richmond Hill, où les rock stars britanniques possèdent de magnifiques demeures. Le centre de Richmond est cossu et compte de nombreux pubs, restaurants

Il était à l'abandon il y a cinquante ans.

Au nord de Londres, Hampstead surplombe la ville.

y est difficile. C'est dans les rues adjacentes que l'on trouve les plus belles maisons agrémentées de petits jardins au charme fou. Pour un logement de trois chambres, vous débourserez en moyenne entre 900 et 1 000 £ par semaine, moins cher que ce que vous paierez si vous optez pour le secteur de Holland Park, un lieu résumant bien l'élégance londonienne. Les maisons victoriennes et georgiennes y

sont somptueuses ; c'est là que vivent quelques-unes des plus grandes fortunes du pays. On trouve de grands appartements à louer et le parc, boudé par les touristes, abrite un jardin japonais et une grande quantité d'écureuils et de paons. Idéal pour les familles fortunées.

▶ Hampstead

Hampstead est situé dans le nord de Londres, dans le borough de Camden. Surplom-

bant la ville, Hampstead et sa lande (Hampstead Heath) sont comme coupés du reste de la métropole. Malgré l'explosion du prix des maisons victoriennes et l'arrivée dans le quartier de banquiers et de vedettes du sport, Hampstead a conservé une réputation un peu bohème à la vie artistique intense. Le métro Hampstead est situé au cœur d'Hampstead Village, où se trouvent la plupart des magasins, des bars et des restaurants. La partie la moins chère de ce quartier se situe aux abords du Royal Free Hospital et de la station de train Gospel Oak. La zone située à l'est de Heath Street, tout près de la lande, est recherchée pour ses anciennes maisons et son dédale de rues pavées. À moins de cinq kilomètres de la City, on se croirait au cœur d'un petit village de campagne. Hampstead compte aussi de nombreuses écoles jouissant d'une excellente réputation. Pour les sportifs, sachez que trois lacs sont ouverts à la baignade.

et magasins. Les bords de la Tamise, vers Richmond Bridge, sont également fort animés. Cachés derrière George Street, se trouvent Richmond Green et les vestiges du Richmond Palace, un lieu idéal pour un pique-nique sur une grande étendue de verdure. Richmond Park se trouve au sud-est. Le parc est tellement grand qu'il est toujours possible de trouver une place à l'écart du monde. Seule ombre au tableau : le bruit des avions sur le couloir aérien menant

à l'aéroport d'Heathrow. Kew, au nord de Richmond, est mondialement connu pour ses jardins botaniques, les Kew Gardens, qui attirent des centaines de milliers de visiteurs chaque année. Aux abords de la station de métro Kew Gardens, règne une atmosphère villageoise, avec quelques terrasses et de nombreuses boutiques. On trouve aux alentours du parc de magnifiques maisons victoriennes et quelques beaux appartements plus modernes.

Quel Londres vous correspond ?
2. Le Londres résidentiel

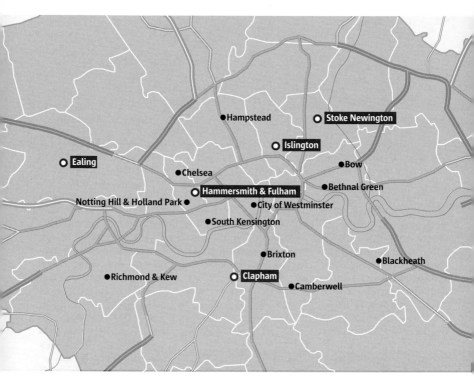

Les loyers hebdomadaires moyens en livres sterling à Londres et par borough

	Chambre en collocation	Studio	1 chambre	2 chambres	3 chambres	4 chambres et plus
Londres	92	173	225	280	323	500
Hammersmith & Fulham	139	204	285	380	520	700
Lambeth	99	159	242	300	392	531
Wandsworth	99	185	260	323	400	530
Ealing	102	162	219	288	335	507
Islington	108	200	295	375	465	500
Hackney	104	175	275	330	410	550

Source : Valuation Office Agency et Mairie de Londres, 2012.

▶ Hammersmith et Fulham

Situé à l'ouest de Hyde Park et jouxtant Kensington et Chelsea, le borough de Hammersmith offre une ambiance bien différente, plus populaire. La zone compte près de 180 000 habitants, trois clubs de football majeurs et comprend notamment Shepherd's Bush et Fulham. L'implantation de l'immense centre commercial Westfield, à Shepherd's Bush, a changé le visage du quartier, qui s'est doté de nouvelles infrastructures notamment en matière de transports. Doté d'une salle de concerts réputée, l'Empire, Shepherd's Bush n'est qu'à une vingtaine de minutes du centre et attire les Londoniens en quête d'une première propriété. On trouve de grandes maisons familiales du côté de Wendell Park et Hammersmith, où une autre grande salle de spectacles, l'Olympia, est régulièrement le théâtre de concerts aux têtes d'affiche renommées. On trouve des appartements plus abordables près de White City, où la BBC a installé un immense complexe. Au sud du borough, bien pourvu en écoles, Fulham jouit d'une position privilégiée au bord de la Tamise. Le quartier, jadis peuplé d'ouvriers, est habité par une population plus aisée et hétéroclite allant du golden boy à la mère de famille. On y trouve une école française, de nombreux magasins sur Fulham Road et North End Road ainsi que des bars, des pubs et des boîtes de nuit. Les clubs de football de Chelsea et Fulham ont

Prix moyens à l'achat des logements à Londres en livres sterling

Londres	458 035 (variation annuelle : +9,3 %)
Hammersmith & Fulham	688 328 (variation annuelle : +1,2 %)
Lambeth	413 531 (variation annuelle : +9,9 %)
Wandsworth	535 290 (variation annuelle : +5,5 %)
Ealing	400 857 (variation annuelle : +10,2 %)
Islington	559 401 (variation annuelle : +9,6 %)
Hackney	373 321 (variation annuelle : +6,3 %)

Source UK and Wales Land Registry, période avril-juin 2012.

leurs terrains à Fulham. Chelsea joue à Stamford Bridge, à côté de la station de métro Fulham Broadway ; Fulham, dans la magnifique enceinte de Craven Cottage, l'un des plus beaux stades du pays en bordure du fleuve. On trouve à Fulham un grand choix de maisons victoriennes et d'appartements. Les loyers les plus élevés sont dans la zone entre le pont de Putney Bridge et Hurlingham Park (Napier Avenue, Ranelagh Avenue), à deux pas du très huppé Hurlingham Club. Plus au nord, Parsons Green abrite également de splendides logements.

Clapham

Logé à cheval sur les boroughs de Lambeth et Wandsworth, Clapham attire une population mixte composée de familles aisées, de cadres dynamiques et de foyers ayant plus de mal à joindre les deux bouts. Les rues bordées de maisons victoriennes jouxtent les cités HLM et tout ce beau monde se retrouve le week-end sur les pelouses du grand parc de Clapham Common. La zone la plus animée du quartier se trouve près de la station de train de Clapham Junction, nœud ferroviaire important de la capitale. Quelques grands magasins sont installés là ainsi que diverses boutiques, sur Saint John's Hill et Lavender Hill. Les logements les plus convoités, de charmantes maisonnettes avec jardin, sont situés dans les rues perpendiculaires à Northcote Road, un axe entre les parcs de Clapham et Wandsworth plébiscité par les jeunes couples. Tout aussi charmante, la zone située au sud du parc de Clapham Common attire les classes supérieures tout autour d'Abbeville Road, une petite rue commerçante rythmant la vie de ce quartier paisible. De nombreuses familles venues de l'Hexagone sont installées ici du fait de la proximité avec l'école primaire française de Wix. Mais les loyers sont très élevés, jusqu'à 3500 £ par mois pour une maison de cinq chambres. Plus joli encore, Cla-

Familles aisées et cadres dynamiques cohabitent à Clapham.

Si les prix ont augmenté à Islington, de bel

pham Old Town, avec ses magnifiques bâtisses victoriennes, offre un côté villageois. À côté de la station de métro de Clapham Common se trouve un excellent cinéma appartenant à la chaîne Picturehouse, au bord de l'artère principale. Truffée de bars plus vulgaires les uns que les autres, la High Street se transforme en un gigantesque lieu de débauche les week-ends. On vous conseillera plutôt des établissements plus intimistes comme les excellents pubs Bread and Roses et The King's Head.

▶ Ealing

À une douzaine de kilomètres à l'ouest du cœur de Londres, et à une demiheure à peine en métro, le borough d'Ealing est surnommé la Reine des Banlieues en raison de l'abondance de ses espaces verts et de sa douceur de vivre.

Les deux principaux quartiers du borough sont Ealing et Acton, fort différents l'un de l'autre. Acton offre tout type d'habitat, de la belle maison résidentielle donnant sur une rue verdoyante aux barres d'immeubles de South Acton. Le périmètre, calme et bigarré, attire de nombreux immigrés, originaires pour la plupart de Pologne, dans un melting-pot réussi. La vie s'organise autour de Acton High Street, où l'on trouve banques, supermarchés, restaurants et pubs. North Acton et West Acton, très industriels, sont moins charmants, aussi en raison de la proximité de l'A40, qui mène à l'aéroport d'Heathrow. Point positif: le quartier est extrêmement bien desservi par les autobus, trains et métros. On trouve aussi des tours d'immeubles à Ealing, mais le secteur attire

globalement une population plus aisée. Il y a aussi beaucoup d'écoles, dont une française, de belles maisons, de magnifiques espaces verts (Walpole Park, Ealing Common, Lammas Park) ainsi qu'un excellent système de transports. Les logements les plus chers, de grandes maisons avec jardin, se trouvent vers Ealing Broadway et Pitshanger, à proximité du Pitshanger Park, qui dispose de plusieurs playgrounds, de cages de football et de courts de tennis.

▶ Islington

Les prix ont beaucoup augmenté dans ce borough très contrasté du nord de Londres abritant le club de football d'Arsenal, mais de nombreux logements restent abordables pour les classes moyennes. Ancien bastion ouvrier, Islington s'est transformé au fil des ans en

portunités restent à saisir. Le secteur de Stoke Nevington propose un habitat allant du loft au cottage.

une terre aux multiples facettes où se mêlent jeunes entrepreneurs, DJ's, journalistes et familles aisées. Malgré la gentrification, quelques poches d'extrême pauvreté subsistent dans ce vaste borough. Mais on y trouve de beaux logements de style varié, avec de belles maisons et des appartements plus modernes construits dans d'anciens entrepôts. Les appartements ne manquent pas dans la zone située autour d'Angel et d'Upper Street. Non loin de là, le petit quartier piétonnier de Camden Passage est beaucoup plus calme. Au nord d'Angel, Barnsbury, avec ses rangées d'élégantes façades, est un quartier résidentiel apprécié des familles. Au sud, en direction de la City, Clerkenwell et Farringdon sont beaucoup plus animés et en pleine expansion, d'où la constante hausse des ta-

rifs. Clerkenwell et Farringdon offrent de nombreux loisirs, avec notamment la salle de danse mondialement connue de Sadler's Wells et l'Exmouth Market, une zone piétonne qui comprend d'excellents bars et restaurants. L'ambiance est ici urbaine et le manque d'espaces verts est sans aucun doute le principal point faible d'Islington, mais on peut très vite aller prendre l'air ailleurs grâce au très bon réseau de transports en commun du borough.

▶ Stoke Newington

Voici un quartier authentique peuplé de Londoniens pur jus que rien ne pourrait faire quitter leur « Stokey » adoré. Situé dans le borough de Hackney, au nord de Dalston et à l'ouest de Highbury, Stoke Newington n'a plus rien d'un trésor caché mais on peut encore

s'y loger à bon prix. Le secteur compte de nombreux cottages et maisons, des lofts luxueux et des appartements modestes. Les logements les plus chers se trouvent aux abords de Church Street, où se concentrent la plupart des boutiques, cafés et restaurants du quartier. Dans un style différent, plus populaire, la High Street accueille des boutiques plus simples ainsi que quelques épiceries et restaurants. Stoke Newington, mal desservi par le métro mais doté d'un bon réseau de bus, conserve une atmosphère villageoise en dépit de l'afflux de nouveaux habitants au cours des dernières années. Le secteur attire de nombreux bobos et de jeunes couples avec enfants. Autre atout du quartier, le parc de Clissold Park, apprécié des joggers. On y trouve un café, un playground et des courts de tennis.

Quel Londres vous correspond ?
3. Cinq quartiers abordables où il fait bon vivre

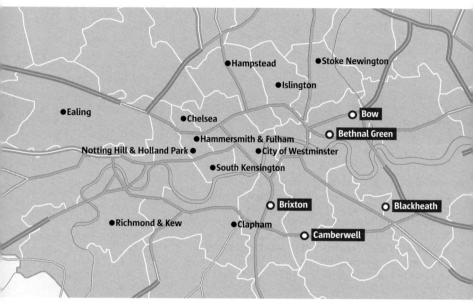

Les loyers hebdomadaires moyens en livres sterling à Londres et par borough

	Chambre en collocation	Studio	1 chambre	2 chambres	3 chambres	4 chambres et plus
Londres	92	173	225	280	323	500
Lambeth	99	159	242	300	392	531
Tower Hamlets	115	225	270	350	380	525
Greenwich	85	138	173	219	254	335
Lewisham	91	150	185	231	299	415
Southwark	104	180	230	300	370	508

Source : Valuation Office Agency et Mairie de Londres, 2012.

Prix moyens à l'achat des logements à Londres en livres sterling	**Londres**	**458 035 (+9,3 % par an)**
	Lambeth	413 531 (variation annuelle : +9,9 %)
	Tower Hamlets	364 642 (variation annuelle : +5,9 %)
	Greenwich	298 810 (variation annuelle : +0,3 %)
	Lewisham	283 538 (variation annuelle : +5,8 %)
	Southwark	432 215 (variation annuelle : +12,9 %)

Source UK and Wales Land Registry, période avril-juin 2012.

Le logement en chiffres

- Le loyer mensuel moyen sur le marché locatif privé en 2012 à Londres était d'environ 1 200 £.
- Un peu plus de la moitié de ses habitants vivent dans un logement qu'ils possèdent (51,6 % en 2010).
- Fin 2012, le coût moyen d'une maison y était de 453 070 £, soit 15 fois plus que le salaire annuel moyen dans la capitale britannique (27 128 £).
- Le Shard, à London Bridge, est le plus haut immeuble résidentiel d'Europe : 309,60 m.
- Pour la dernière décennie, on dénombre environ 540 000 nouveaux foyers à Londres mais seulement 430 000 nouveaux logements construits.
- Environ 800 000 Londoniens sont inscrits sur les listes d'attente pour les logements sociaux.

Source : London Councils

▶ Brixton

Théâtre d'émeutes raciales dans les années 1980, Brixton accueille la plus grande partie de la communauté afrocaribéenne de Londres. C'est un secteur animé et attachant en dépit de sa mauvaise réputation. Il est vrai que le taux de criminalité reste élevé dans certaines cités de Brixton, mais la régénération du quartier est globalement réussie, avec une tendance à la boboïsation. Situé dans le sud de Londres, Brixton est très bien desservi par les transports en commun et l'on rejoint le centre en moins d'une demi-heure. Le secteur compte diverses écoles publiques, mais les familles les plus aisées préfèrent inscrire leur progéniture dans le privé. Pour les Français, l'école de Clapham n'est qu'à quelques minutes en bus. Les bons vivants et les noctambules ne seront jamais déçus à Brixton, qui compte de nombreux commerces, d'excellents restaurants bon marché dans le Brix-ton Village, la partie la plus trendy du marché couvert, ainsi que de multiples pubs, boîtes de nuits et salles de spectacle. Sur la place principale, le cinéma Ritzy propose une programmation éclectique alliant films à grand spectacle ou d'art et essai et dessins animés. On trouve de belles maisons un peu à l'écart, aux abords de Brockwell Park, en direction de Herne Hill.

▶ Bethnal Green

Ce quartier de l'East End faisant partie du borough de Tower Hamlets est extrêmement bien situé, à un peu plus de cinq kilomètres seulement au nord-est de la station Charing Cross. Bethnal Green, relié au centre de Londres par la ligne de métro Central Line, a été fortement endommagé par les bombardements de la Seconde Guerre mondiale et on y trouve un habitat très varié (maisons victoriennes, immeubles modernes, cités HLM). La plupart des commerces sont installés près de Bethnal Green Road et Whitechapel Road. On est aussi à proximité de Brick Lane et de Shoreditch, un atout considérable pour les noctambules. De nombreux artistes vivent ici et l'on trouve beaucoup de galeries et de boutiques branchées. Le quartier compte aussi l'un des pubs les plus agréables de Londres, le Carpenter's Arms, logé dans Cheshire Street. Tous les dimanches matin, Columbia Road se transforme en un marché aux fleurs où l'on vend à la criée dans un tourbillon de couleurs très apprécié des Londoniens.

▶ Bow

Toujours dans le borough de Tower Hamlets, à l'est de Bethnal Green, le secteur de Bow n'a pas échappé à la gentrification et attire les classes moyennes tout en offrant des logements abordables. De nombreux immeubles HLM sont implantés dans le quartier ainsi que de somptueuses maisons victoriennes et des demeures à plusieurs étages aux très belles fa-

Malgré sa réputation, Brixton est animé et attachant.

Le secteur populaire de Bow comp

çades (Tredegar Square). Les écoles de Bow n'ont pas bonne réputation mais, comme souvent à Londres, leur niveau varie grandement. Pour faire les courses, le marché de Roman Road, ouvert depuis la fin du XIXᵉ siècle, permet de faire de bonnes affaires ; mais le secteur est également doté de grandes surfaces. Les espaces verts ne manquent pas, avec le Victoria Park, au nord, et Mile End Park, à l'ouest. À l'est de Bow, se trouve Bromley-by-Bow. C'est industriel et plutôt moche, mais ne fuyez pas pour autant. Marchez jusqu'à l'oasis de Three Mills Island et vous aurez l'impression d'avoir remonté le temps : de magnifiques immeubles anciens construits sur une petite rue pavée au bord de la rivière Lee s'offrent à vous pour un spectacle complètement inattendu à deux pas d'un échangeur !

▶ Blackheath

Le charmant petit quartier de Blackheath, dans le sud-est de Londres, est à cheval sur les boroughs de Lewisham et Greenwich. Situé à proximité de la Tamise, Blackheath a longtemps été délaissé par les Londoniens à cause de l'absence de métro. Ce n'est plus le cas aujourd'hui grâce au DLR (le métro aérien), et les familles attirées par l'atmosphère tranquille viennent désormais s'y installer. La gare ferroviaire de Blackheath permet aussi de gagner London Bridge rapidement. Le cœur du quartier, surnommé Blackheath Village, compte de belles maisons victoriennes et georgiennes ainsi que quelques cottages, de nombreux restaurants et des pubs. Près de South Row se trouve le joyau de Blackheath, le Paragon, un ensemble architectural conçu à la fin du XVIIIᵉ siècle par l'architecte Michael Searles. Il s'agit de grands immeubles en brique reliés les uns aux

Les quartiers français

L a plupart des familles françaises sont installées dans les quartiers de South Kensington et Chelsea, du fait de la proximité du lycée français Charles-de-Gaulle, du consulat et de l'Institut français. Les librairies, les boutiques et les commerces de bouche français foisonnent et on peut vivre dans ces quartiers comme à Paris ou en province, en mangeant un saint-nectaire, un verre de côtes-du-rhône à la main tout en suivant

...mbreux espaces verts.

Au sud de Londres, Camberwell est un quartier cosmopolite et jeune.

autres par de longues colonnades blanches. Se loger ici coûte évidemment plus cher et les appartements libres sont rares. Les endroits les moins chics sont situés aux abords de Kidbrooke et de la cité de Ferrier Estate, dans le borough de Greenwich. Les espaces verts et plats de Blackheath seront appréciés des joggers tandis que Greenwich Park, nettement plus vallonné, offre d'impressionnantes vues sur Londres.

▶ Camberwell

Camberwell est un quartier du sud de Londres appartenant au borough de Southwark. C'est un péri-mètre cosmopolite où se mêlent classes populaires, artistes et étudiants inscrits au Camberwell College of Arts. En dépit de l'absence de métro, on rejoint en une vingtaine de minutes le centre de Londres en bus. On y trouve quelques bâtisses de style georgien, notamment sur Camberwell Grove, mais la plupart des logements sont de style victorien. Des appartements modernes plus récents et des anciens HLM sont également disponibles. C'est une aire vivante et branchée, moins chère que ses équivalents de l'est Shoreditch et Hackney. Pourvu de bons restaurants et de nombreux lieux de sortie (Camberwell Church Street), Camberwell constitue une excellente option pour les jeunes couples et les célibataires, même si les prix grimpent.

Infos pratiques

▶ **Krystel Ann Properties**
www.krystelannpropertysearch
.co.uk
☎ 0044(0)20 3239 7988

▶ **Century21 Abbey Road**
abbeyroad@century21uk.com
☎ 0044(0)20 7328 2930

▶ **Boulle International**
property@boulle.co.uk
www.boulle.co.uk
☎ 0044(0)20 7221 5429

▶ **FL Consult**
fabienne@flconsultproperties
.com
☎ 0044(0)7834494795

un match de Ligue 1… L'atmosphère villageoise de Notting Hill, Putney et Chiswick est appréciée de nombreuses familles françaises, qui sont aussi légion dans les quartiers de Fulham, Ealing et Clapham en raison de la présence de trois écoles primaires dépendant du lycée Charles-de-Gaulle. Très proche de Chelsea, Fulham offre les avantages de la vie provinciale à proximité du centre tandis que Clapham séduit par la quantité de ses espaces verts. À Ealing, dans l'ouest, on trouve de grands appartements et de belles maisons dans une atmosphère très romantique en raison de l'abondance de jardins et d'arbres. Depuis l'ouverture d'un nouvel établissement français conventionné dans le nord, le collège français bilingue de Londres, pour les enfants de 5 à 15 ans, les quartiers de Camden, Kentish Town, Primrose Hill et Hampstead sont extrêmement demandés. Plusieurs agents immobiliers installés à Londres sont spécialisés dans le marché francophone; ils vous prodigueront des conseils pertinents si vous souhaitez vous fondre dans votre communauté.

LIVE LONDON !
LOVE LONDON !
INVEST IN LONDON !

BO
INTE

London
Proper

020
www.bou

VENTE   ACQUISITION   LOCATION

Marie-Cécile Boulle   Dominique   Guillaume   Thierry   Claire   Julie

BOULLE
INTERNATIONAL
The French
Property consultancy

LIVE LONDON!
LOVE LONDON!
INVEST IN LONDON!

RELOCATION INVESTISSEMENT SCOLARISATION GESTION

CONFIEZ NOUS TOUS
VOS PROJETS IMMOBILIERS!!!

APPELLEZ-NOUS AU **020 7221 5429**

depuis
1995

Mehdi   Kim-Chi   Stéphanie   Inès   Véronique   Benjamin   Amandine

1 Norland Place | Holland Park | London W11 4QG
Ⓢ boulle_international
www.boulle.co.uk | property@boulle.co.uk

S'intégrer à Londres

Le lien social

Londres est une ville bigarrée et accueillante où les minorités cohabitent dans un respect mutuel.

▶ Melting-pot

Difficile en Europe de trouver ville plus multiculturelle que Londres. Depuis sa création par les Romains il y a plus de 2000 ans, la cité n'a cessé de recevoir des vagues de migrants successives, développant au fil des siècles une culture d'accueil jamais démentie. Les chiffres du dernier recensement, *census*, publiés en décembre 2012, qui permettent de dresser toutes les décennies le portrait de la Grande-Bretagne, ont ainsi révélé le visage d'une ville bigarrée, où moins d'un habitant sur deux se décrit désormais comme britannique et blanc, *British* *and White.* Dans certains quartiers comme le borough olympique de Newham (à l'est), moins de 50 % des adultes disent utiliser l'anglais comme première langue. Et dans les écoles publiques de Newham, seulement un tiers des enfants parlent l'anglais à la maison. À Londres, les mosquées cohabitent avec les synagogues et les églises, on s'arrête pour manger un baba au rhum dans une pâtisserie française et on se relaxe dans des bains turcs. Les saveurs orientales se mêlent aux odeurs de fish and chips sur les artères commerçantes, dans un grand respect mutuel.

▶ Être londonien, c'est quoi ?

Les émeutes de l'été 2011 ont certes fait éclater au grand jour des tensions et inégalités sociales fortes dans une ville où le communautarisme est très présent : on se croise beaucoup mais on se mélange peu. Pourtant, il suffit de quelques semaines seulement pour se sentir parfaitement à l'aise ici. C'est probablement lié à la grande tolérance (à l'indifférence diront certains) dont les Londoniens font preuve vis-à-vis des étrangers et plus généralement de tous ceux qui ne leur

> **Difficile de décrire un Londonien. C'est pareil avec les New Yorkais je pense. Pour ma part je me sens londonien, mais en même temps je suis toujours américain, grec, fan de USC (University of Southern California), et je me sens toujours étranger même si j'ai un passeport britannique et que je vis ici depuis huit ans. Être londonien, c'est être gothique, punk, homme d'affaires, acteur de cinéma, chauffeur de bus, Indien, sud-africain, brésilien, homosexuel, jogger, cycliste, musulman, chrétien, athée, blanc, noir et marron. Pour dire les choses autrement, on trouve ici le melting-pot parfait, dans la ville la plus cosmopolite du monde. N'importe qui, quels que soient ses idées ou ses désirs, peut devenir un Londonien.**

Christopher, 42 ans
journaliste

La vie de quartier

Les Londoniens sont très attachés à leurs quartiers et les quittent rarement pour leurs loisirs. Le tissu associatif est donc particulièrement bien développé localement. Vous n'aurez pas besoin de parcourir des kilomètres à travers la ville pour trouver l'association de vos rêves, à moins bien entendu que vous ne soyez à la recherche d'un groupe de joueurs de balalaïka…

ressemblent pas. Dans une ville de plus de 8 millions d'habitants où l'on parle plus de 300 langues, plus rien n'étonne.

▶ Tous les styles

« Ce qui définit un Londonien, c'est sa capacité à ne jamais se montrer surpris quand quelqu'un d'autre se comporte ou s'habille de façon bizarre, parle une langue inconnue ou vient de l'autre bout du monde », explique Michael, un ancien journaliste reconverti dans le massage shiatsu. « Par exemple, dans le métro, un Londonien ne se mettra pas à regarder avec insistance quelqu'un de célèbre. Il fera comme s'il s'agissait d'un usager comme les autres, pris dans la masse de l'heure de pointe, le visage enfoncé sous un dessous de bras, n'attendant qu'une chose : que la journée se termine pour aller boire une pinte hors de prix au pub. »

▶ Des liens superficiels ?

Malgré la grande ouverture d'esprit des Londoniens, de nombreux expatriés se plaignent de leurs difficultés à établir des contacts poussés avec la population locale. Plusieurs Français insistent sur la rapidité avec laquelle ils ont pu se retrouver accoudés au comptoir d'un pub avec leurs collègues de travail mais regrettent que ces relations ne puissent se transformer en une véritable amitié. Les étudiants et les plus jeunes, qui sortent beaucoup, rencontrent moins de difficulté. À la décharge des Londoniens, les expatriés aiment aussi beaucoup se regrouper entre eux, ce qui ne facilite pas les échanges avec la population locale. Si vous souhaitez vous fondre dans la masse, évitez par exemple de prendre une colocation avec des néo-Londoniens francophones et ne limitez pas vos conversations aux échanges avec les parents d'élèves du lycée Charles-de-Gaulle !

▶ Une vie associative très développée

Contrairement à ce qui se passe en France, où les gens ont l'habitude de s'inviter les uns chez les autres, la plupart des liens sociaux se tissent à l'extérieur, dans les lieux de rencontres et de loisirs (pubs, cours de théâtre ou de musique, clubs de sport) ou au sein des diverses associations que compte la capitale britannique. On en trouve de tous les genres, regroupant propriétaires de chiens, fumeurs de cigares, joggeurs pieds nus ou nageurs naturistes. N'oubliez pas que l'Angleterre est les pays des clubs, et Londres ne fait pas exception à la règle. Quel que soit votre hobby, vous trouverez des gens pour le partager, et probablement près de chez vous.

▶ Les boroughs, mine d'information

On ne saurait conseiller un site unique donnant une liste de la multitude d'associations que compte la ville, mais la plupart des pages Internet des autorités locales (les 33 boroughs) fournissent une liste des clubs sportifs ou associations culturelles implantés dans leur zone. Les bibliothèques municipales, *libraries*, installées dans les quartiers dispensent également beaucoup d'informations sur le monde associatif local. Les parents trouveront aussi d'excellents tuyaux dans les cafés « child friendly » où ils pourront se réunir avec leur progéniture. Pour le sport, les fédérations nationales sont un bon point de départ pour trouver le club le plus proche de chez soi.

> ❝ *Pour s'intégrer, il faut anticiper que cette ville est onéreuse. Trouver un emploi du jour au lendemain est compliqué, contrairement à ce que beaucoup de gens croient. Et sans argent ici, on ne fait pas grand-chose, on a peu d'occasions de sortir. Si les loyers et le coût des transports n'étaient pas si élevés, Londres serait une ville super. L'autre obstacle est le grand nombre de Français qui vivent ici. Beaucoup d'expatriés ne vivent qu'entourés de Français et ne pratiquent pas vraiment leur anglais. Se tourner vers le monde associatif constitue un bon point de départ. L'association est ici une véritable entreprise où l'on développe des liens très forts.* ❞

Cédric, 28 ans, conseiller emploi au centre Charles-Péguy

Devenez londonien

▶ Tolérance

La tolérance et l'ouverture d'esprit font partie des principaux traits de caractère des Londoniens. Alors si la vue d'une femme en burqa vous choque ou que, à vos yeux, un transsexuel en minishort traversant un parc sur son vélo en plein hiver n'est rien de plus qu'un pervers, passez votre chemin.

▶ Dis-moi où tu vis, je te dirai qui tu es

Les Londoniens sont attachés à leur quartier. Ce fut flagrant après les émeutes de 2011, quand les habitants de Clapham Junction descendirent en masse dans la rue balai à la main et vêtus de t-shirts clamant leur amour pour leur quartier pour un grand nettoyage bénévole. Les Londoniens se diront ainsi plus volontiers originaires de Brixton ou de Stoke Newington que de Londres. On ne parlera pas avec le même accent à Clapham et à Dalston, et les « lads » de l'East End ne tiendront pas non plus leur cigarette de la même manière que leurs cousins des rives sud de la Tamise.

▶ Les codes postaux

Le code postal est la partie la plus importante de l'adresse. On vous le demandera systématiquement, que ce soit pour réserver un taxi ou pour une livraison. Couplé au numéro de votre rue, il permet de localiser votre domicile. Les codes postaux sont composés de lettres et de chiffres. Dans les quartiers les plus centraux, ils commencent par W (west), NW (north-west), N (north), E (east), SE (south-east) ou SW (south-west).

▶ La courtoisie

Les Londoniens sont polis et – c'est un cliché mais il a le mérite d'être vrai – font scrupuleusement la queue. Que ce soit au cinéma, devant le distributeur d'une banque ou dans le métro à l'heure de pointe, on patiente sagement dans la file d'attente. Ne resquillez pas, ça passera très mal. Plus généralement, les Londoniens font preuve d'un sens civique développé et les comportements antisociaux (jeter ses détritus dans la rue, fumer dans le métro, insultes, etc.) sont rares. On se sent d'ailleurs en sécurité dans les transports en commun. On n'écrase pas non plus son mégot par terre et on ne traverse pas la rue n'importe comment. Méfiez-vous, les automobilistes ne s'arrêteront pas si vous ne traversez pas dans les clous. Évidemment tout n'est pas rose, et il

Tea time, Marmite et obésité

Comme dans toutes les grandes villes du monde, les horaires traditionnels des repas sont un peu chamboulés à Londres, où l'on peut se nourrir à n'importe quelle heure du jour et de la nuit. Les modes de consommation alimentaire se sont beaucoup américanisés, surtout dans les classes populaires et vous serez sans doute surpris par le nombre élevé de personnes en surpoids. Beaucoup de cafés vendent des petits déjeuners jusqu'à midi, certains proposant le fameux English Breakfast tout au long de la journée. Le déjeuner est généralement pris entre 11 h 30 et 14 h avant le thé, une sorte de goûter copieux servi vers 15 h 30. On mange aussi bien du salé que du sucré pour le thé, qui peut être accompagné de champagne pour les grandes occasions. Si vos enfants sont à la crèche, ne vous étonnez pas s'ils n'ont pas faim à l'heure du dîner après avoir avalé au goûter des roulés à la saucisse et des tartines de Marmite, une pâte noire, amère et salée ressemblant à de la mélasse, très populaire en Grande-Bretagne. Les familles mangent assez tôt le soir, vers 18 h 30.

vaut mieux éviter de traîner dans certains coins où sévissent des gangs. Chaque année, on recense environ 4 000 agressions à l'arme blanche dans la capitale britannique.

▶ L'alcool

La nuit, la ville devient folle, et l'on assiste alors à des débordements en tous genres. L'âge légal pour acheter de l'alcool dans les lieux publics est fixé à 18 ans mais de nombreux adolescents commencent bien plus jeunes. Le binge drinking, une absorption massive d'alcool en l'espace de quelques heures, est un véritable fléau. Mais les Londoniens savent aussi boire avec modération dans leurs pubs à l'atmosphère si chaleureuse. Rien de tel en effet qu'une bonne pinte de London Pride, une excellente bière bitter, après une dure journée de travail ou par un dimanche pluvieux. On se rend aussi au pub pour les quiz, ces jeux par équipes sur le modèle du Trivial Pursuit. Les pubs ferment assez tôt, généralement entre 11 h et minuit,

avant de passer le relais aux boîtes de nuit, où l'on peut entrer à partir de 18 ou 21 ans selon les établissements.

▶ Les girls and boys' night out

Finie l'époque où l'écrasante majorité des clients des pubs étaient des hommes. Les femmes sont les bienvenues au comptoir, mais les Londoniens aiment encore sortir en bandes de filles ou de garçons, pour des « girls » ou « boys' night out ». La pratique concerne tous les âges et tous les milieux. Ces sorties sont organisées entre amis, collègues de travail et même parents d'élèves, « mums and dads' night out ».

▶ Les soirées de Noël

Chaque hiver, la tradition veut que les entreprises organisent une soirée de Noël où tout est permis. Direction et salariés boivent jusqu'à plus soif et on en profite pour se dire ses quatre vérités sans pour autant risquer son emploi, dans une sorte de catharsis alcoolisée.

▶ Le jafaican

Le dialecte londonien qui a le vent en poupe depuis quelques années est le jafaican (pour « fake jamaican »), appelé aussi Multicultural London English (MLE). Incompréhensible pour un expatrié ou pour les adeptes du Queen's English, il est populaire auprès des jeunes Londoniens de toutes origines. Comme son nom l'indique, le jafaican est marqué par l'influence du jamaïquain mais aussi par les langues indiennes et d'Afrique de l'Ouest. Une illustration parfaite du melting-pot londonien.

▶ Les déguisements

Pour faire la fête comme un Londonien, n'hésitez pas à vous déguiser. Tout au long de l'année, des bals costumés et des soirées à thème rivalisant d'originalité sont organisés dans des lieux souvent tenus secrets. On recommande particulièrement les fêtes de The Last Tuesday Society, qui se consacre à « *l'exploration des côtés ésotériques, littéraires et artis-*

tiques de la vie à Londres ». Tout un programme. Les soirées Secret Cinema, où l'on prend part, plus qu'on assiste, à la projection d'un film, sans savoir duquel il s'agit, dans un décor reconstitué, connaissent aussi un succès fou. Pour les locations de costumes, il existe de nombreuses boutiques spécialisées, mais si vous souhaitez revêtir de somptueux habits, prenez contact avec la réserve de costumes du National Theatre, que les amateurs de théâtre appellent ici tout simplement le National. C'est une caverne d'Ali Baba dans laquelle on n'entre que sur rendez-vous. Des milliers de tenues, de robes de soirée, de casques, de boucliers, de perruques et de masques y sont méticuleusement rangés et disponibles à la fois pour les professionnels et les particuliers.

▶ Cockney rhyming slang

De tous les argots de Londres, le cockney rhyming slang demeure le plus célèbre. Il s'agit d'un langage parlé dans les quartiers populaires de l'East End. Stricto sensu, un vrai Cockney doit être né dans la partie de la ville où l'on peut entendre résonner les cloches de l'église St Mary-le-Bow, située à Cheapside. Mais il suffit aujourd'hui d'avoir un accent cockney pour être considéré comme tel. Bien qu'en perte de vitesse, il perdure sur les marchés et les Londoniens

utilisent cet argot basé sur la rime et le jeu de mots pour rire entre eux. Par exemple, si au pub vous souhaitez boire un brandy, vous pourrez commander un marlon, brandy rimant plus ou moins avec Brando (Marlon). Autre exemple : « brown » pour « dead », car « brown bread » (pain noir) rime avec « dead ».

▶ Fous de football

Les Anglais ont inventé le sport le plus populaire du monde et le football fait partie de la culture du pays, au même titre que la musique pop. On joue aussi beaucoup au rugby et au cricket, mais c'est le football qui génère le plus d'enthousiasme et de passions à Londres comme dans le reste du pays. Allez faire un tour dans un stade, l'ambiance y est exceptionnelle. On est supporter à la vie à la mort, et on ne siffle pas son équipe, même quand la victoire n'est pas au rendez-vous. Londres compte une

quinzaine de clubs professionnels. Les plus célèbres : Chelsea, Arsenal, Tottenham, West Ham, Fulham ou encore Crystal Palace et Millwall, ce dernier faisant aujourd'hui davantage parler de lui à cause de ses hooligans que grâce à ses résultats sportifs. C'est aussi à Londres que se trouve l'enceinte de Wembley, théâtre des principales rencontres de l'équipe nationale d'Angleterre et de la finale de la Cup.

▶ Les charities

Les Londoniens et les Britanniques en général sont également extrêmement attachés à leurs associations caritatives, les *charities*. On en trouve environ 160 000 à travers le pays et elles lèvent chaque année plusieurs milliards de livres sterling. Parmi les plus connues figurent Cancer Research UK ; Oxfam ; The Save The Children Fund ; The Royal National Institute For Blind People.

Les Français parlent aux Français

▶ Sixième ville de France

Il est aussi tout à fait possible de vivre à Londres dans une bulle francophone. Il n'existe aucune mesure réellement fiable de la population française de Londres, mais les autorités tricolores estiment le nombre de leurs ressortissants à environ 350 000, ce qui en fait la sixième ville française en terme de population. « *Au premier septembre 2012, il y avait 119 500 Français inscrits au registre de Londres*, commente le consul adjoint Olivier Tulliez. *Mais beaucoup de nos ressortissants ne se font pas enregistrer. Nous utilisons plusieurs faisceaux pour nos estimations et nous pensons qu'ils sont deux à trois fois plus nombreux. Et la population ne cesse de croître. En 2005, il y avait 88 500 inscrits, et depuis, l'augmentation est régulière.* »

▶ Le consulat et l'Institut français

On croise des ressortissants de l'Hexagone dans tous les coins de Londres, pas seulement dans le bastion tricolore de South Kensington, où sont installés les piliers de la présence française en Angleterre : le lycée, l'Institut français et le consulat. L'ambassade de France se trouve non loin de là, à Knightsbridge. Le consulat est utile pour toutes les formalités et démarches administratives (cf. chapitre *S'expatrier*). Si vous n'avez pas trouvé de place pour vos enfants dans une école ou une crèche française, l'Institut vous permettra de vous rapprocher rapidement d'autres expatriés. Fondé en 1910, ce centre culturel dont la principale mission est l'enseignement du français, comprend un centre de langues, une médiathèque, un cinéma et un bistro. Environ 200 000 personnes y viennent chaque année. De nombreux événements y sont organisés tout au long de l'année (festivals pour la jeunesse, dégustations de vins, café philo, concerts, groupes de lectures).

▶ **Les lieux de convivialité français**

Les lieux de rassemblement de la communauté

Les associations françaises

Pour développer un réseau social francophone, il ne faut pas hésiter à entrer en contact avec la multitude d'associations hexagonales présentes à Londres. La Fédération des associations françaises en Grande-Bretagne en regroupe une soixantaine sur son site Internet, qui propose également un agenda des divers événements organisés dans le pays. L'association Londres accueil, qui a fêté ses 30 ans, est bien implantée. Gérée par une équipe de bénévoles et rattachée à la Fédération internationale des accueils français et francophones à l'étranger (Fiafe), Londres accueil met en place diverses activités culturelles et sportives afin d'aider les expatriés à s'intégrer. Et ses conférences connaissent un grand succès.

❝ *Selon moi, toute intégration passe par l'activité professionnelle. Je suis arrivée en mars 2011 avec mon compagnon et notre fils, mais dans un premier temps j'ai fait des allers-retours réguliers Londres-Paris pour les besoins de ma thèse, et je vivais ici à mi-temps. Je ne suis ensuite allée à Paris qu'une semaine par mois et j'y vais beaucoup moins aujourd'hui. Je crois que ceux qui souffrent le plus de l'isolement sont les personnes qui vivent ici depuis moins de deux ans. J'ai tout de même réussi à développer un petit réseau social, mais ça tourne énormément autour de l'école de notre fils, de francophones. Il s'agit principalement de couples de binationaux, des gens installés à Londres depuis 10 ou 15 ans. Ma maîtrise moyenne de l'anglais a été un obstacle supplémentaire pour aller vers les autres, d'autant que peu de gens ici maîtrisent le français. Pour m'intégrer, je vais maintenant essayer d'obtenir une année de recherche dans un laboratoire de recherche à Londres, car je pense avoir fait le tour des conversations sur les préoccupations familiales. J'ai besoin de travailler.* ❞

Anne, 36 ans, chercheuse en épidémiologie à l'Inserm

Le rendez-vous des francophones et des francophiles de Londres

Visites et sorties culturelles,

Rencontres dans les quartiers,

Conférences et événements,

E-Newsletter hebdomadaire,

Clubs et séances découverte,

Mums & Kids, Sports ...

Adhérez en ligne et retrouvez-nous sur :

www.londresaccueil.org.uk

Infos pratiques

▶ **Pour s'adonner à des hobbies peu courants**
Cette page, du magazine *Time Out*, dresse une liste des clubs et associations les plus excentriques, avec des liens vers leurs sites.
tinyurl.com/b9znnwv

▶ **Les boroughs**
www.directory.londoncouncils.gov.uk/directory

▶ **Les fédérations sportives**
www.sportengland.org

▶ **Pour les fêtes et soirées déguisées**
www.thelasttuesdaysociety.org

▶ **Pour louer un costume**
www.nationaltheatre.org.uk/costume-and-props-hire

▶ **Les séances du Secret Cinema**
www.secretcinema.org

▶ **Trouver une association caritative**
www.charitychoice.co.uk/charities/london

▶ **Les adresses institutionnelles françaises**
www.ambafrance-uk.org
www.consulatfrance-londres.org
www.institut-francais.org.uk

▶ **Les associations françaises**
fafgb.org
www.londresaccueil.org.uk

▶ **Les médias francophones**
www.lepetitjournal.com
www.londonmacadam.com
www.ici-londres.com
www.lecho.org.uk

▶ **Des lieux conviviaux fréquentés par les Français**
koko.uk.com
parisburning.co.uk
www.chezellesbistroquet.co.uk
www.f3k-london.co.uk/Venue.aspx

▶ **Pour recevoir les chaînes françaises**
www.tps.uk.com/frenchtv

française ne manquent pas autour de South Kensington (bistros, pâtisseries, Institut français, etc.). Ailleurs, les plus jeunes ont l'habitude de se réunir au club Koko (concerts, soirées), dans le quartier de Camden. Toujours la nuit, les soirées Paris is Burning, au cours desquelles des artistes français viennent se produire sur la scène du pub The Lexington à Angel, remportent un franc succès. Pour retrouver une atmosphère de bistro, rendez-vous Chez Elles, à Brick Lane. Ambiance soupe à l'oignon, Pastis et rillettes avec une petite touche bobo. Quant aux amateurs de football insensibles au jeu spectaculaire de la Premier League, il leur reste l'option de se faire installer la télévision française (cf. *Infos pratiques*) ou de se retrouver dans l'un des bars de la ville diffusant les matches de Ligue 1. Le Famous 3 Kings, à côté du métro West Kensington, dispose par exemple de plusieurs écrans géants et essaie de diffuser chaque semaine les matches du Paris Saint-Germain et de l'Olympique de Marseille.

▶ Les médias francophones

Pour se tenir au courant de l'actualité des Français, il existe plusieurs magazines : *Ici Londres,* qui publie régulièrement de bons dossiers, *L'Écho*, le journal des familles francophones ou, encore, *London Macadam*, qui met l'accent sur les loisirs et la culture. Pour un suivi de l'actualité au quotidien, *Le Petit Journal* est pratique (news, dossiers, agenda, bons plans, etc.) tandis que la French Radio London diffuse plusieurs émissions thématiques appréciées de la communauté francophone et des Anglais francophiles soucieux d'améliorer leur pratique de la langue de Molière.

Loisirs :
le choix des Londoniens

Loisirs : le carnet d'adresses des Londoniens

Gastronomie, vie nocturne, culture, sports et activité de plein air.

Quatre Londoniens experts dans chacun de ces domaines livrent leurs conseils et donnent leurs meilleures adresses en mêlant lieux et activités incontournables à des choix plus personnels. Leur feuille de route exclut toute prétention à l'exhaustivité, mais en suivant leurs conseils vous êtes certain de ne pas vous retrouver au milieu de touristes agglutinés dans des lieux sans charme ni personnalité. Plutôt que de proposer une liste d'informations au kilomètre, l'objectif consiste à donner des repères solides afin que chacun puisse ensuite établir sa propre géographie des loisirs à Londres.

Matthew Cain

est un touche-à-tout de talent. Après avoir été producteur exécutif de l'émission culturelle de référence *The South Bank Show*, il a rejoint la chaîne Channel 4 en 2010. Il a par ailleurs collaboré au *Times* et se consacre désormais à l'écriture (sortie de son premier roman début 2014).

Adam Byatt

est une figure montante de la gastronomie britannique. Chef et propriétaire de deux restaurants dans le quartier de Clapham, il continue pourtant de découvrir les adresses prometteuses de Londres. Auteur d'un livre de recettes à succès, il partage avec nous sa sélection des bonnes tables.

Kate Hutchinson

est DJ la nuit, journaliste le jour. Outre la radio locale London Fields Radio qu'elle dirige, elle écrit pour le magazine culturel de référence *Time Out*, où elle a été rédactrice en chef de la rubrique clubbing pendant quatre ans. C'est dire que le London by night n'a pas de secret pour elle…

Kelhem Salter

a rejoint l'équipe chargée des sports à la mairie de Londres après avoir été conseiller du président du Comité olympique britannique. Débordant d'enthousiasme et coureur de bon niveau, il a participé au développement du sport dans sa ville. Il en dresse pour nous un panorama des richesses.

▶ La culture vue par Matthew Cain,
écrivain, ancien rédacteur en chef du service culture de Channel 4

Né à Bolton et formé à l'université de Cambridge, Matthew a travaillé une dizaine d'années dans la production télévisuelle. Ancien producteur exécutif de l'émission culturelle de référence *The South Bank Show,* il a rejoint la chaîne Channel 4 en 2010. Matthew Cain y a couvert l'actualité culturelle, des coupes dans le budget de la culture au lauréat du Man Booker Prize en passant par les galas en l'honneur de la reine à la Royal Opera House. Il a également écrit pour *The Times* et son premier roman sera publié début 2014. Issu d'un milieu populaire, curieux et modeste, il met un point d'honneur à éviter tout élitisme et snobisme dans un tour d'horizon de la vie culturelle londonienne.

Opéra

« À Londres, la culture de l'opéra est forte. Au fil des ans, les classiques sont revisités et un gros travail est fourni en parallèle pour attirer les jeunes. The English National Opera propose ainsi des classiques sur sa scène principale, mais a également mis en place une collaboration avec le Young Vic Theatre pour un projet visant un public plus moderne. Si vous êtes fan des grands classiques, la Royal Opera House est le lieu idéal. Mais ils ont aussi le courage de produire des œuvres nouvelles et plus innovantes sur leur scène principale. La Royal Opera House s'aventure aussi en terrain plus expérimental sur une scène baptisée le Linbury Studio. Et la bonne nouvelle, c'est qu'on trouve des places bon marché et que personne ne vous regardera de travers si vous n'êtes pas tiré à quatre épingles. En revanche, si vous voulez vivre une expérience ultrachic, avec tenues et robes de soirée, allez à la Glyndebourne Opera House, près de Brighton, à une heure de Londres. Si j'étais français, j'adorerais voir ça, tous ces gens sur leur 31 en train de boire du champagne et de manger des fraises. Cela en dit long sur la quintessence du chic anglais tel qu'on se l'imagine. »

> **Young Vic Theatre**
www.youngvic.org

> **English National Opera**
www.eno.org/home.php

> **Royal Opera House**
www.roh.org.uk

> **Glyndebourne Opera House**
glyndebourne.com

Scène alternative et blockbusters du West End

« Il est important de parler des théâtres à l'atmosphère un peu plus alternative, comme le Bush Theatre de Shepherd's Bush, qui est là depuis des années et promeut de jeunes artistes talentueux encore méconnus dans une ambiance plus grungy. Dans le West End, les plus célèbres sont le Theatre Royal Drury Lane et le Palladium. Le théâtre reste un spectacle cher à Londres, mais à l'âge d'Internet il est facile de se renseigner, il n'y a plus d'excuse pour se tromper et aller voir une pièce nulle. »

> Bush Theatre www.bushtheatre.co.uk
> Royal Theatre Drury Lane www.drurylanetheatrelondon.com
> Palladium www.londonpalladium.org

▶ Théâtre

« Il existe beaucoup de théâtres à Londres, du plus populaire au plus expérimental. Si vous cherchez quelque chose très bien mis en scène, sans risquer de vous tromper, vous ne trouverez rien de mieux que le National Theatre, qui comprend trois différents lieux où alternent représentations classiques et expérimentales. La scène principale, l'Olivier Theatre, est dirigée comme les deux autres par Nicholas Hytner, fort influent dans le monde du théâtre en Angleterre. Il réussit à monter des pièces à succès qui sont ensuite jouées dans le West End, puis à Broadway, à New York, et enfin adaptées au cinéma. *War Horse*, par exemple, a connu un premier succès au National Theatre avant de marcher très fort dans le West End et que Steven Spielberg en fasse un film. Son modèle est excellent. Il fabrique des hits, et grâce aux recettes produites, il peut promouvoir des œuvres plus exigeantes et moins commerciales. Je recommande aussi le Royal Court, qui compte deux scènes et produit les jeunes auteurs innovants et originaux. En règle générale, leurs meilleures pièces sont elles aussi jouées ensuite dans le West End. »

> National Theatre
www.nationaltheatre.org.uk
> Royal Court
www.royalcourttheatre.com

▶ Comme à l'époque de Shakespeare

« Pour une expérience unique, il faut aller au Shakespeare's Globe. Ce théâtre était l'endroit où l'on jouait les pièces de Shakespeare. Il a brûlé au XVIIe siècle mais une version moderne a été reconstruite à peu près au même endroit. Comme à l'époque de Shakespeare, c'est un amphithéâtre qui est doté d'une "thrust stage", une scène qui avance dans le public. Les acteurs peuvent voir les spectateurs, qui peuvent aussi se voir. C'est une expérience collective unique, qui reproduit fidèlement ce qui se passait au XVIIe siècle. Et si votre anglais n'est pas parfait et que vous avez peur de vous ennuyer, achetez une place debout, bon marché. Vous restez une demi-heure, vous vous imprégnez de l'atmosphère et vous partez. Personne ne vous en tiendra rigueur : ça se passait comme ça à l'époque. Cet endroit est tellement spécial, il faut y aller. »

> Shakespeare's Globe
www.shakespearesglobe.com

Musées : la Tate et les autres

« La plupart des musées de Londres sont gratuits, à part pour les expositions temporaires, donc pas d'inquiétude si vous n'avez pas de budget. Je ne vous parlerai pas en détail du British Museum, une institution majeure et incontournable, le musée le plus visité de Grande-Bretagne que tout le monde connaît. Commençons par la Tate Britain et la Tate Modern. Les collections de la Tate Britain réunissent les artistes britanniques du XVIe siècle à nos jours ainsi que des œuvres modernes et contemporaines d'artistes internationaux. La Tate Modern se focalise sur l'art moderne et contemporain du XIXe siècle à nos jours. Certaines mauvaises langues critiquent l'institution Tate, en la décrivant comme le supermarché du monde de l'art. Les gens de la Tate ont certes beaucoup de pouvoir, mais ils l'utilisent à bon escient et organisent toujours des choses très intéressantes. Le bâtiment qui accueille la Tate Modern est incroyable, c'est une ancienne centrale électrique gigantesque. À l'intérieur, en plus des salles de visite, il y a un grand espace appelé le Turbine Hall, dans lequel tous les six mois ils mettent en place d'immenses installations. La Tate Modern est la seule galerie d'art au monde à avoir créé son propre espace dédié aux performances, avec l'ouverture des anciens réservoirs, les Tanks. La Tate Modern a fait un bien fou à l'art contemporain dans ce pays en permettant de le vulgariser. Son impact est massif sur la société. La National Gallery constitue un autre trésor, avec des collections de peintures de maîtres européens allant du XIIIe au XIXe siècles. Ils organisent aussi régulièrement des expositions à succès, comme dernièrement celle sur Léonard de Vinci. »

> **National Gallery** www.nationalgallery.org.uk
> **Tate Museums** www.tate.org.uk
> **British Museum** www.britishmuseum.org

agenda

Janvier
▶ **La parade du Nouvel An** attire des dizaines de milliers de spectateurs dans le centre de Londres.

Février
▶ **Les défilés du Nouvel An chinois,** à Chinatown, avec feux d'artifice, costumes et musique.

Mars-avril
▶ **La mythique course d'aviron** entre les équipes des universités d'Oxford et de Cambridge, organisée chaque année sur la Tamise.

Avril
▶ **Le marathon de Londres** et ses quelque 38 000 participants.

Mai
▶ **Le Chelsea Flower Show,** festival de renom mondial consacré à l'horticulture, se tient dans le quartier de Chelsea.

Juin
▶ **Le tournoi de tennis de Wimbledon,** disputé sur gazon dans le très chic All England Club.

Juillet
▶ **Les Henley Royal Regatta.** Organisées depuis 1839, ces courses d'aviron attirent chaque année 300 000 spectateurs pendant cinq jours à Henley-on-Thames.

Juillet-septembre
▶ **Les BBC Proms,** une manifestation de musique classique prestigieuse. Les Proms se tiennent l'été au Royal Albert Hall. Plus de 70 concerts ont lieu chaque année pendant le festival.

Classique

« Il existe cinq orchestres philharmoniques majeurs à Londres et, si certains ensembles conservent une image élitiste, tous la combattent vigoureusement pour essayer d'attirer un public plus jeune. Le London Symphonic Orchestra est à l'origine de concerts et d'ateliers musicaux intéressants dans l'église St Luke's, sur Old Street. Les salles les plus connues pour le classique sont le Barbican et le Royal Festival Hall. De grands concerts sont également organisés au Royal Albert Hall, où se déroulent les BBC Proms. Et n'oublions pas la musique de chambre, où les Anglais excellent. »

> **London Symphonic Orchestra** www.lso.co.uk
> **Barbican** www.barbican.org.uk
> **Royal Albert Hall** www.royalalberthall.com
> **Royal Festival Hall** www.southbankcentre.co.uk/home

▶ Le pantomime anglais

« C'est un spectacle typiquement britannique, donc un peu bizarre pour les autres ! Les pièces reposent sur des conventions précises et une connivence avec le public, qui participe beaucoup à l'ambiance, car tout le monde connaît ça depuis l'enfance. Mais ce n'est pas réservé pour autant aux initiés. Le rôle principal masculin, censé être un jeune homme, est joué par une femme habillée en costume d'époque très étroit. Un personnage de femme plus âgée, la pantomime dame, qui est

souvent la mère du héros, est généralement joué par un homme en vêtements féminins. C'est vraiment le théâtre du peuple, pour tous les écoliers britanniques et leurs parents. Les meilleurs spectacles de pantomime ont lieu au Hackney Empire et dans des théâtres un peu éloignés du centre, comme à Wimbledon par exemple. »

> Hackney Empire
www.hackneyempire.co.uk

▶ Librairies

« Il existe d'excellentes librairies vers Notting Hill, bien sûr, mais Amazon a tendance à monopoliser le marché et plusieurs petits indépendants ont dû fermer récemment. La plus grande est Waterstones, une chaîne dont le magasin principal se situe à Piccadilly. On peut y boire un café, les vendeurs connaissent bien leur domaine et donnent d'excellents conseils. Ils organisent aussi régulièrement des dédicaces avec des auteurs célèbres. Si vous recherchez une boutique plus originale et plus intimiste, allez chez Daunt Books. Leur librairie d'origine, magnifique, se situe à Ma-

La danse

« La danse à Londres, c'est phénoménal. Que dire de Sadler's Wells, la salle la plus prestigieuse ? C'est complet à chaque représentation et il y a une raison à cela : les spectacles sont exceptionnels. Les meilleurs chorégraphes contemporains, comme Matthew Bourne, s'associent à Sadler's Wells. Le travail de Bourne est hilarant, intense, drôle, brillant en termes de danse, et tout à fait accessible. Cela résume l'esprit de Sadler's Wells, un véritable joyau. Le English National Ballet accomplit un excellent travail aussi, davantage axé sur un programme classique. C'est une compagnie qui tourne à travers l'Angleterre et passe une partie de la saison à Londres. Vous pouvez les voir, mais c'est plus facile d'aller au Royal Ballet, qui fait partie des cinq plus grandes compagnies de danse classique du monde avec le Kirov Ballet, le Bolchoï, le ballet de l'opéra de Paris et l'American Ballet Theatre. Il y a toujours débat pour savoir qui est le meilleur, mais en ce moment le consensus se fait autour du Royal Ballet, qui se distingue par son incroyable répertoire. »

> **Royal Ballet** www.roh.org.uk/about/the-royal-ballet
> **English National Ballet** www.ballet.org.uk
> **Sadler's Wells** www.sadlerswells.com

rylebone. Ils en ont d'autres, notamment à Chelsea, Holland Park et Hampstead. Les conseils sont personnalisés, ce qu'on attend d'un libraire de quartier (cf. "Les librairies françaises" dans le chapitre *Consommation, les bonnes adresses*.) »

> Daunt Books
www.dauntbooks.co.uk
> Waterstones
www.waterstones.com

agenda

Août

▶ **Le Great British Beer Festival,** qui réunit producteurs de bières du monde entier dans une ambiance festive et musicale, et le Carnaval de Notting Hill, au son des rythmes caribéens.

Septembre

▶ **Le London Open House Festival** met l'architecture de Londres à l'honneur le temps d'un week-end durant lequel des centaines de bâtiments et maisons ouvrent leurs portes au public.

Octobre

▶ **Le London Film Festival,** c'est plus de 300 films et documentaires, souvent en avant-première, des soirées de gala ainsi que des rencontres avec les réalisateurs. Aussi en octobre, la Frieze Art Fair, l'équivalent de la Fiac.

Novembre

▶ **La Guy Fawkes Night.** Les Anglais célèbrent par des feux de joie et des feux d'artifice l'anniversaire de l'échec d'un complot organisé par des catholiques pour faire sauter le Parlement de Londres en 1605.

Décembre

▶ **Le Hyde Park Winter Wonderland,** gigantesque parc d'attractions dressé dans Hyde Park pendant la période des fêtes de fin d'année. À ne pas rater: un tour de patins à glace sur la plus grande patinoire en plein air du pays, qui brille de mille feux une fois la nuit tombée.

▶ Cinémas

« Je suis fier de notre théâtre, de notre danse et de notre opéra, mais nous n'avons pas une industrie cinématographique aussi solide. Il existe cependant à Londres quelques très bons cinémas comme le Curzon, à Mayfair et Chelsea, qui projettent des films arty. Les salles où l'on peut voir des blockbusters sont vers Leicester Square, où sont aussi organisées les avant-premières. La chaîne de cinémas Picturehouse propose des abonnements intéressants avec des salles disséminées dans Londres. J'aime beaucoup l'Electric Cinema à Notting Hill, la programmation est très bonne et on peut y boire un verre et y manger. »

> Electric Cinema
www.electriccinema.co.uk
> Picturehouse Cinemas
www.picturehouses.co.uk
> Curzon Cinemas
www.curzoncinemas.com

▶ Galeries et autres musées

« Les musées et galeries de Londres sont si nombreux que je ne peux pas tous les citer, mais il faut aller à la Somerset House pour visiter la Courtauld Gallery, réputée pour ses collections impressionnistes et postimpressionnistes. Et ne manquez pas la National Portrait Gallery, qui réunit les portraits de tous les gens qui comptent ou ont compté dans la société britannique. Vous y verrez tous nos rois et reines et toutes les célébrités du pays. C'est assez drôle de s'y promener, il ne s'agit pas uniquement d'art. La Hayward Gallery accueille régulièrement des accrochages d'art moderne très intéressants et la galerie Saatchi nous fait découvrir les goûts de son propriétaire, Charles Saatchi. Enfin les deux galeries White Cube représentent tous les grands artistes contemporains britanniques comme Damien Hirst, Tracey Emin, Sam Taylor-Wood ou, encore, Gilbert et George. C'est la garantie d'y voir des choses intéressantes. Allez aussi vous balader au V & A (Victoria and Albert Museum), un lieu magnifique consacré à l'art, au design, à l'artisanat et à la mode. Les expositions y sont toujours réussies. »

> Hayward Gallery
www.haywardgallery.org.uk
> Courtauld Gallery
www.courtauld.ac.uk/gallery/index.shtml
> White Cube
www.whitecube.com
> Saatchi Gallery
www.saatchi-gallery.co.uk
> National Portrait Gallery
www.npg.org.uk
> V & A **www.vam.ac.uk**

▶ **La gastronomie vue par Adam Byatt,** chef et propriétaire de deux restaurants

▶ **La gastronomie vue par Adam Byatt,** chef et propriétaire de deux restaurants

Figure montante de la gastronomie britannique, Adam Byatt possède deux restaurants dans le quartier de Clapham, le Trinity et le Bistro Union. Issu d'un milieu populaire, Adam a découvert très jeune les plaisirs culinaires grâce aux conseils de son grand-père, chef dans l'armée britannique, et de sa mère. Après avoir fait ses classes dans les cuisines du Claridge's, de The Berkeley et de The Square, Adam jouit aujourd'hui d'une excellente réputation auprès de ses pairs, unanimes à louer la modernité et la simplicité de sa cuisine. Il est l'auteur d'un livre de recettes à succès, *How to Eat In,* et apparaît régulièrement dans l'émission de la BBC *Saturday Kitchen.*

S'il fallait n'en retenir qu'un

« La gastronomie britannique s'est améliorée de façon phénoménale au cours des dix dernières années. On trouve désormais dans ce pays l'une des scènes gastronomiques les plus vivantes dans le monde. Le respect du produit est essentiel et l'Angleterre peut être fière de sa cuisine. Si je devais ne retenir qu'un seul restaurant, ce serait probablement le St. John où je vais manger quatre ou cinq fois par an. J'adore leurs plats, honnêtes et sans chichi. Elle me rappelle mon enfance et je trouve le rapport qualité-prix intéressant. C'est la cuisine britannique au sommet de son art, avec des produits provenant de Grande-Bretagne et préparés simplement. Le propriétaire du St. John s'appelle Fergus Henderson. Je l'admire depuis des années. La cuisine traditionnelle anglaise, qui se base sur l'excellence des produits, s'exprime tellement bien à travers lui. Il varie ses menus en fonction des saisons et propose une cuisine de terroir exceptionnelle. »

> **St. John**
26 St. John Street, EC1M 4AY ☎ 020 3301 8069

Une institution

« The Wolseley est un lieu où tout le monde devrait se rendre au moins une fois. C'est l'une des tables emblématiques de Londres. Ce n'est pas bon marché, mais ce n'est pas non plus réservé aux très riches. The Wolseley est détenu par Chris Corbin et Jeremy King, qui travaillent ensemble dans la restauration depuis une trentaine d'années et savent vraiment y faire : ce sont les meilleurs ! Ils proposent une excellente cuisine accompagnée d'un service parfait. Ils servent des centaines et des centaines de couverts mais, à chaque fois que j'y vais, je mange bien, le service est impeccable et l'addition n'est jamais trop salée. Et que dire de la salle ? La décoration art déco est superbe, ça vous donne vraiment l'impression d'être dans un lieu unique. C'est une brasserie select mais pas du tout guindée, vous ne ressentez aucune pression sociale. Superbe. »

> The Wolseley
160 Piccadilly W1J 9EB ☎ 020 7499 6996

▶ Bon marché

« L'un des changements majeurs dans ce pays, c'est la possibilité de pouvoir bien manger au restaurant sans

trop dépenser. C'est un secteur en pleine expansion et c'est excitant. De nombreux jeunes chefs talentueux se sont engagés dans cette voie et l'offre est considérable. Parmi eux, Russell Norman, un véritable gentleman, qui a ouvert plusieurs restaurants : Polpo, Polpetto, Mishkin's et Spuntino. C'est vraiment ce que les gens recherchent en ce moment. Ils prennent des recettes traditionnelles qu'ils raffinent et ajoutent à tout cela un zeste new-yorkais. Le résultat est délicieux et bon marché, dans une atmosphère agréable. La gastronomie est en

pleine effervescence en ce moment dans Soho, où je vous conseille aussi Ducksoup. C'est un tout petit établissement, avec juste un bar où une vingtaine de personnes peuvent s'asseoir. La nourriture est excellente et très simple, et vous mangez

pour 15 ou 20 £. Les propriétaires du Wolseley ont aussi ouvert un restaurant appelé Brasserie Zédel. C'est une brasserie parisienne installée au cœur de Londres qui sert de la nourriture traditionnelle française à un rapport qualité-prix concurrentiel. Vous y trouvez par exemple de bonnes petites entrées pour trois ou quatre livres. »

> Polpo Soho
41 Beak Street, W1F 9SB
☎ **020 7734 4479**
> Polpetto
49 Dean Street, W1D 5BG
☎ **020 7734 1969**
> Mishkin's
25 Catherine Street, WC2B 5JS
☎ **020 7240 2078**
> Spuntino
61 Rupert Street, W1D 7PW
(pas de téléphone ni de réservations)
> Ducksoup
41 Dean Street, W1D 4PY
☎ **020 7287 4599**
> Brasserie Zédel
20 Sherwood Street, W1F 7ED
☎ **020 7734 4888**

▶ Fish and Chips

« Le fish and chips, composé comme son nom l'indique de frites et de poisson, est un plat traditionnel qui peut être délicieux, mais aussi vraiment mauvais. Le meilleur de Londres se

Les Sunday roasts

« Il y a seulement cinq ans, plus personne ne voulait entendre parler des Sunday lunches. Aujourd'hui, tous les Londoniens en veulent un le dimanche. Un Sunday roast anglais, classique, traditionnel, avec du Yorkshire pudding, un rôti de bœuf, des carottes, des légumes et de la gravy. Les gens en raffolent et plusieurs restaurants à Londres en font d'excellents. Je ne devrais pas citer mon propre établissement, mais le Trinity a été désigné comme l'une des meilleures tables de Londres pour les Sunday roasts par le magazine *Time Out*. Personnellement, j'irai probablement à l'hôtel Ritz, où le chef John Williams prépare des plats magnifiques. Si vous recherchez quelque chose de traditionnel, c'est l'adresse parfaite. Les Sunday roasts, comme les fish and chips, peuvent être horribles. En vous rendant au Ritz, vous êtes sûr de ne pas vous tromper, ce sera hors de prix mais incroyablement bon. Une autre adresse : Le Pont de La Tour. »

> **The Trinity**
4 The Polygon, SW4 0JG ☎ **020 7622 1199**
> **The Ritz**
150 Piccadilly, W1J9BR ☎ **020 7493 8181**
> **Le Pont de La Tour**
36D Shad Thames, SE1 2YE ☎ **020 7403 8403**

trouve à côté de la station de métro Clapham South. Il s'appelle Moxon's Fish Bar et appartient au poissonnier Robin Moxon, l'un des meilleurs de Londres. C'est tout petit, il n'y a que quelques places assises, mais le poisson est frais. On peut lui faire à 100 % confiance.

Pour un bon fish and chips, il faut du poisson frais, un bon cuisinier et des gens qui soient prêts à réduire leur bénéfice pour faire de la belle cuisine. Robin est un super mec, c'est ce qu'il fait. »

> Moxon's Fish Bar
7 Westbury Parade, SW12 9DZ
☎ **020 8675 2468**

▶ L'influence de New York

« Une tendance forte à Londres en ce moment est de se tourner vers New York, pour voir ce qui s'y passe et ce qui s'y fait. La gastronomie y est incroyable et beaucoup de chefs londoniens s'en inspirent, aussi bien pour le style épuré et austère de leurs salles que pour les concepts. C'est une démarche intéressante, car ça débouche sur une cuisine de très bonne qualité à des prix abordables. Dans ce style, le restaurant Meat Liquor propose des hamburgers et des frites parfaits. L'endroit est très à la mode et attire beaucoup de gens à la coule. Du coup il y a souvent la queue. Pitt Cue Co. est un autre lieu de Soho qui vaut le détour. C'est de la cuisine barbecue, encore une fois très New York, et je recommande aussi Bubbledogs, qui vient d'ouvrir et propose des hot dogs et du champagne. Tous ces restaurants sont bon marché, trendy et d'excellente qualité. Ça vaut vraiment le coup. »

> **Meat Liquor** 74 Welbeck Street, W1G 0BA ☎ 020 7224 4239
> **Pitt Cue Co.** 1 Newburgh Street, W1F 7RB ☎ 020 7287 5578
> **Bubbledogs** 70 Charlotte Street, W1T 4QG ☎ 020 7637 7770

▶ Les pop-up restaurants

« Les pop-up restaurants, qui sont des établissements éphémères, constituent un excellent moyen pour les jeunes chefs de s'exprimer. Certains d'entre eux, malheureusement pas tous, sont vraiment excellents et proposent de la supercuisine à très bon prix. Vous vivrez une expérience inoubliable. Attention, certaines personnes mal intentionnées utilisent le concept uniquement dans le but de faire de l'argent. Ils proposent des plats ordinaires sans intérêt et il faut donc bien se renseigner avant. Mais je ne veux pas dire trop de mal des pop-up restaurants, car j'en ouvre un prochainement ! »

▶ Cuisine asiatique

« La cuisine asiatique est incroyable dans ce pays. Je vous conseille de vous rendre à Chinatown, où il existe quelques établissements où vous pouvez vraiment bien manger. Allan Yau, le fondateur de la chaîne Wagamama, a importé la cuisine asiatique dans ce pays et il l'a fait avec brio. Il ne le possède plus, mais c'est lui qui était derrière le chinois Hakkasan. Il est aussi à l'origine de Busaba Eathai, un restaurant thaïlandais. Il en existe aujourd'hui plusieurs dans Londres, qui servent tous d'excellents plats asiatiques. Busaba Eathai est bon marché alors que Hakkasan est cher. Mais c'est normal parce que c'est délicieux et le lieu magnifique. »

> Hakkasan
8 Hanway Place, W1T 1HD
☎ **020 7927 7000**
> Busaba Eathai
busaba.com

▶ Les restaurants des grands hôtels

« C'est une vraie tendance à Londres en ce moment. La plupart des grands hôtels de la ville ont engagé des chefs de renommée mondiale. On trouve maintenant dans les palaces de Londres de la cuisine grandiose. On peut citer Richard Corrigan au restaurant Corrigan's Mayfair, Alain Ducasse au Rochester, ou encore Mark Hix chez Brown. Pour les occasions spéciales, je conseille aussi le restaurant The Square, où j'ai travaillé pendant trois ans. Ce n'est pas dans un hôtel, mais le chef, Philip Howard, est un génie. Ce n'est pas donné, mais la nourriture est un pur délice. »

> Corrigan's Mayfair
28 Upper Grosvenor Street, W1K 7EH
☎ 020 7499 9943

> The Square
6-8 Bruton Street Maifair, W1J 6PU
☎ 020 7495 7100

Les currys

« Se rendre à Brick Lane pour un curry est une expérience touristique. C'est un peu comme à Chinatown, avec une qualité très moyenne dans l'ensemble et quelques exceptions. Il faut être prudent avec les currys, et normalement je vise plutôt le haut de gamme comme le Cinammon Club ou Benares, où les chefs cuisinent des interprétations plus modernes du curry traditionnel. »

> Cinammon Club
The Old Westminster Library,
30-32 Great Smith Street,
SW1P 3BU
☎ 020 7222 2555

> Benares
12a Berkeley Square House,
Berkeley Square, W1J 6BS
☎ 020 7629 8886

► Night life vue par Kate Hutchinson, DJ et journaliste

Installée dans l'est de Londres, Kate Hutchinson exerce à la fois les activités de DJ et de journaliste spécialisée dans la culture et la musique. Elle écrit notamment pour le magazine culturel londonien de référence *Time Out,* où elle a été rédactrice en chef de la rubrique clubbing durant quatre ans. Ses articles sont régulièrement publiés dans des journaux comme *Q* ou *Dazed & Confused.* Kate dirige également la radio locale London Fields Radio, basée à Hackney.

Cap à l'est

« L'est de Londres est l'épicentre de la vie nocturne trendy. C'est là que les choses intéressantes se passent quand la nuit tombe. Il y a quelques années, c'était dans le West End, qui est moins branché aujourd'hui, puis à Camden, à l'époque de la Brit Pop et des années fastes du rock indépendant. La géographie de la nuit a mis le cap à l'est et les deux principaux quartiers de fête sont désormais Dalston et Hackney. Au début des années 2000, c'était Shoreditch, où l'on s'amuse encore beaucoup, mais qui est devenu moins cool. On trouve des tas de bonnes adresses à Dalston et Hackney, souvent éphémères d'ailleurs, et ça ne coûte pas cher d'y entrer. Les gens reprennent d'anciens kebabs ou des entrepôts pour les transformer en boîtes de nuit le temps d'une semaine. On appelle ça des pop-up clubs. Ca ne dure pas, mais il y a derrière tout ça une urgence tout à fait exaltante. Pour les adresses, cherchez les bons plans sur Internet, ça bouge très vite. »

► Les clubs de Dalston et Hackney

« On trouve dans ces quartiers des dizaines de lieux de sortie. J'adore Birthdays. C'est un endroit exceptionnel, avec une boîte de nuit et un restaurant. Chez Rita's, le restaurant, on dîne bien, c'est original. En bas se trouve le club, où sont organisés des concerts et des soirées. Ils ont une politique souple à l'entrée et on croise des gens de tous les milieux même si les hipsters (jeunes cools au style faussement négligé) sont les plus nombreux. On y écoute beaucoup de musique électronique et aussi du pop-rock indé. Une autre de mes adresses favorites est le Dalston Superstore, qui a fait énormément de bien au quartier depuis son ouverture. Ce club attire à la fois les homos, les branchés et les top models de Londres.

Les boîtes mythiques

« La culture club est toujours forte à Londres même si les gigantesques boîtes de nuit qui pouvaient accueillir 3 000 personnes se font plus rares. The End, avec ses soirées exceptionnelles dans le centre de Londres, n'existe plus, mais le Ministry of Sound et la Fabric continuent de faire danser des centaines de jeunes jusqu'au bout de la nuit. Ces deux clubs sont de véritables institutions. »

> **Ministry of Sound** 103 Gaunt Street, SE1 6DP ☎ 087 0060 0010
> **Fabric** 77A Charterhouse Street, EC1M 3HN ☎ 020 7336 8898

Tous les beautiful people et les fashionistas ont rendez-vous ici dans une ambiance carrément hédoniste : les toilettes sont mixtes… C'est un univers de béton, de briques et de métal dans un style new-yorkais. La musique est excellente, avec d'excellents DJ qui passent de la gay disco, de la house de la techno et de la musique électronique. »

> Dalston Superstore »
117 Kingsland High Street, E8 2PB
☎ 020 7254 2273
> Birthdays
33-35 Stoke Newington Road, N16 8BJ
☎ 020 7923 0309

▶ Le réflexe local

« Avec la crise économique, il est devenu de plus en plus difficile de s'offrir un retour en taxi après une soirée dehors. Ça revient cher, et les Londoniens restent maintenant souvent dans leur quartier. Les habitants de Brixton, par exemple, préféreront une bonne soirée dans leur secteur plutôt que de faire une heure de trajet jusqu'à Dalston. Les patrons des établissements de nuit l'ont bien compris et ont fait de gros efforts, car il y a un vrai marché. On voit ainsi de plus en plus de pubs se transformer en minidiscothèques les soirs de week-end. »

> Effra Social
89 Effra Road, SW2 1DF
☎ 020 7737 6800
> Frank's (uniquement l'été)
Peckham Multi-Story Carpark,
10ᵗʰ floor, 95A Rye Lane, SE15 4ST

▶ Les bars à cocktails

« Depuis plusieurs années, c'est une tendance bien réelle à Londres. On en trouve de divers styles. Certains sont chics, d'autres grand public. Mes préférés sont ceux qui cultivent une ambiance de speakeasy dans un style New York époque prohibition, avec des serveurs tirés à quatre épingles. Le Viajante, dans le quartier de Bethnal Green, est un peu cher, mais les cocktails sont délicieux. Le patron, Nuno Mendes, possède aussi le restaurant en face. J'adore le Calooh Callay, à Shoreditch. C'est l'un des meilleurs bars de la ville. Et on peut accéder à une pièce secrète en rentrant dans une armoire ! Enfin, les cocktails sont excellents au Happiness Forgets, très Big Apple, et je recommande aussi le Worship Street Whistling Shop. »

> Calooh Callay, EC2A 3AY
65 Rivington Street, EC2A 3AY
☎ 020 7739 4781
> Viajante Bar
Town Hall Hotel, Patriot Square, E2 9NF
☎ 020 7871 0461
> Happiness Forgets
8-9 Hoxton Square, N1 6NU
☎ 020 7613 0325
> Worship Street Whistling Shop
63 Worship Street, EC2A 2DU
☎ 020 7247 0015
> Nightjar
129 City Road, EC1V 1JB
☎ 020 7253 4101

Pop, rock et jazz

« Même si la mode est désormais davantage à la musique électronique, le rock et la pop demeurent ancrés dans la culture des Londoniens. Ici, de nouveaux groupes émergent tous les jours, la scène est bouillonnante. L'un des meilleurs endroits pour découvrir des groupes est The Shacklewell Arms, un pub de Dalston adjacent à une petite salle. Toy, le nouveau groupe noisy qui monte, y était un mois en résidence récemment. Les types à guitare ne sont plus le buzz du moment, mais la ville regorge de bonnes salles, comme le Roundhouse à Camden, The Old Blue Last et le Village Underground à Shoreditch. Il faut aussi sortir aux concerts du Club Fandango. Des dizaines et des dizaines de groupes comme les Arctic Monkeys ou Bloc Party sont passés par les soirées Fandango quand ils n'étaient pas encore connus. Pour le jazz, il y a le Ronnie Scott's, une institution dans le West End. »

> **Roundhouse** Chalk Farm Road, NW1 8EH ☎ 084 4482 8008
> **The Old Blue Last** 38 Great Eastern Street, EC2A 3ES – ☎ 020 7739 7033
> **Village Underground** 54 Holywell Lane, EC2A 3PQ ☎ 020 7422 7505
> **The Shacklewell Arms** 71 Shacklewell Lane, E8 2EB ☎ 020 7249 0810
> **Bull and Gate** 389 Kentish Town Road, NW5 2TJ ☎ 020 7485 5358
> **Ronnie Scott's Jazz Club** 47 Frith Street, W1D 4HT
>   ☎ 020 7439 0747

▶ En semaine

« À Londres vous pouvez sortir tous les soirs. Mes jours de la semaine préférés pour faire la fête sont le mercredi et le jeudi car vous êtes alors entouré de gens qui sont déterminés à prendre du bon temps et à s'amuser. Les touristes et les gens qui ne sortent que le week-end ne sont plus là, c'est très agréable, particulièrement en été quand il fait beau et que les fêtes ont lieu sur les terrasses ou dans les jardins. »

▶ La fête gay

« La communauté gay est très importante à Londres et constitue un rouage essentiel de la fête. On trouve toujours de nombreux clubs homos dans Soho, mais les plus intéressants en ce moment sont dans le quartier de Vauxhall et dans l'East End. Il y a, bien entendu, le Dalston Superstore, dont j'ai déjà parlé, et le Joiners Arms, à Shoreditch, qui attire aussi beaucoup d'hétéros car les clubs gays de Londres ne sont pas réservés à la seule communauté homosexuelle. L'East Block est une adresse incontournable, fashion, avec de la supermusique, des soirées follement hédonistes, des gens superlookés avec des coiffures impossibles. »

> Dalston Superstore
> **117 Kingsland High Street, E8 2PB**
> ☎ **020 7254 2273**
> East Block
> **217 City Road, EC1V 1JN**
> ☎ **020 7253 0367**
> Joiners Arms
> **116-118 Hackney Road, Shoreditch,**
> **E2 7QL ☎ 020 7739 9854**
> XXL
> **51-53 Southwark Street, SE1 1TE**
> ☎ **020 7403 4001**

▶ **Les sports vus par Kelhem Salter,**
conseiller aux sports à la mairie de Londres

Ancien conseiller du président du Comité olympique britannique, Kelhem Salter a rejoint en 2008 l'équipe chargée des sports à la mairie de Londres à la suite de l'élection de Boris Johnson. Il y travaille toujours en étroite collaboration avec la commissaire aux sports, Kate Hoey. Jeune homme enthousiaste, Kelhem a participé à l'élaboration d'un programme de développement du sport à Londres de plusieurs millions de livres. Coureur de bon niveau (il a deux marathons de Londres à son actif) et amateur de sports en tous genres, cet ancien étudiant en droit dresse un panorama des richesses sportives de sa ville.

Courir

« Londres est fait pour la course à pied, avec son fleuve, ses nombreux parcs et son marathon, organisé chaque année, que je recommande à tout le monde. C'est difficile d'obtenir une place, mais l'atmosphère est vraiment incroyable. Il y a tellement de monde pour vous encourager le long du parcours que vous avez l'impression d'être un athlète olympique ! Mais avant d'y participer, vous devrez vous entraîner. Rien de plus simple à Londres. Vous pouvez courir pendant des kilomètres le long de la Tamise, en direction de Putney ou de Richmond, c'est fantastique. Je recommande aussi Hyde Park. C'est gigantesque, vous pouvez vous y perdre tellement c'est grand. Plus au sud-ouest, essayez Richmond Park, très vallonné, parfait pour un entraînement difficile. »

▶ **Pédaler**

« C'est dangereux, mais pas plus que dans les autres grandes villes. Nous travaillons beaucoup pour améliorer les choses avec Boris Johnson, grand fan de vélo et qui pédale tous les jours. C'est lui qui a lancé à Londres l'équivalent du Vélib' parisien. Le cyclisme britannique vit un âge d'or et nous encourageons les foules à enfourcher leurs bicyclettes pour rester en forme et réduire la circulation automobile. Je conseille le Sky Ride, qui se déroule une fois par an à Londres. Toutes les grandes rues du centre sont fermées aux voitures et ouvertes aux vélos. C'est un beau spectacle, avec un gigantesque peloton formé de dizaines de milliers de cyclistes. Il existe aussi un autre événement baptisé Ride Around London, une sorte de gros marathon cycliste à travers tous les boroughs de Londres sur des routes fermées au trafic. »

Randonnée et sur piste

« Si vous souhaitez quitter la ville, vous pouvez rejoindre un club pour des excursions dans le Kent, à Richmond ou Kingston. L'un des avantages de Londres, c'est qu'on en sort rapidement. Vous roulez une demi-heure et vous arrivez à Blackheath ou Greenwich. Et lorsque vous poussez jusqu'à Sevenoaks, vous êtes à la campagne. Si vous êtes intéressé par le cyclisme sur piste, rendez-vous au vélodrome de Herne Hill, dans le sud, qui est ouvert au public. Il a été utilisé pendant les JO de 1948. Le nouveau vélodrome, construit au parc olympique de Stratford, sera ouvert au public dans un avenir proche, comme la piste de BMX et le reste des installations des JO. Mais pas avant la fin des travaux de reconfiguration. »

> **Sky Ride** www.goskyride.com
> **Ride Around London**
> www.accesssport.org.uk/ride-around-london
> **Trouver un club**
> www.britishcycling.org.uk/clubfinder
> **Vélodrome de Herne Hill**
> www.hernehillvelodrome.com

▶ Les parcs

« Londres est truffé d'espaces verts et dans tous les quartiers vous trouverez des parcs plus ou moins grands pour faire votre jogging, comme Clapham Common, Blackheath ou Greenwich Park. J'aime aussi beaucoup courir en ville le week-end quand les rues sont vides. Vous découvrez alors Londres sous un jour complètement différent. J'ai vécu ici toute ma vie et pourtant je n'ai vraiment commencé à connaître cette ville qu'après y avoir marché et couru. Quand vous circulez en bus ou en métro, vous ne voyez pas tout, vous ne savez pas exactement où se trouvent les choses. Il existe aussi à Londres de nombreux clubs d'athlétisme si vous ressentez le besoin d'être encadré. Enfin, le programme Park Run est excellent pour sociabiliser et rencontrer des gens. Tous les samedis matin, dans une vingtaine de parcs, une course de cinq kilomètres est organisée. Il vous suffit de vous inscrire sur Internet, votre temps est enregistré et vous pouvez voir vos progrès semaine après semaine et vous comparer aux autres. Cela crée une véritable communauté. »

> **Clubs d'athlétisme**
> www.british-athletics.co.uk/clubs/county40.htm
> **Park Run**
> www.parkrun.org.uk
> **Marathon de Londres**
> www.virginlondonmarathon.com

▶ La nage, les leisures centres

« Les lidos, ces grandes piscines en plein air, font partie de notre culture. Ils étaient un peu tombés en décrépitude, mais la plupart d'entre eux ont été rénovés au cours des dix dernières années et ont retrouvé leur lustre d'antan. Les lidos chauffés sont très chers à entretenir, la plupart d'entre eux ne le sont donc pas. En hiver, il faut enfiler sa combinaison. Il y en a un très populaire à Brockwell Park, un autre à Charlton, et le bassin du lido de Tooting Bec est vraiment immense. On peut aussi nager dans les trois bassins d'Hampstead Heath ou encore à Hyde Park, dans la Serpentine, où

une partie du cours d'eau est ouverte à la baignade. Au cœur de Londres, à Covent Garden, il y a le bassin en plein air de l'Oasis Sports Centre, c'est une sorte de trésor caché, cela vaut vraiment le coup. Vous pouvez aussi prendre des leçons. La meilleure chose à faire est de vous rapprocher des leisure centres, installés dans les divers

boroughs de la ville. Ils permettent de nombreux sports, pas seulement la natation. Enfin, même si certains l'ont fait, je vous conseille de ne pas vous baigner dans la Tamise, vous risqueriez de tomber malade ! »

> Les lidos
www.visitlondon.com (saisir « lidos » dans le champ de recherche)
> Leisure centres
www.better.org.uk/leisure

Sports en salle

« Les sports en salle ne sont pas notre fort, mais le basket est devenu immensément populaire ici. On trouve des terrains partout et c'est gratuit. La mairie a mis en place un projet avec Nike et la London School of Basketball, qui va déboucher sur la création de 18 écoles de basket dans Londres. Le club le plus célèbre à Londres est celui des Brixton Top Cats. Le handball et le volley-ball sont moins bien développés et la plupart des joueurs sont des expatriés. Rapprochez-vous des leisure centres et des fédérations anglaises de hand et de volley pour trouver des endroits où jouer. »

> **Basket-ball** www.londonschoolofbasketball.com
> **Handball** www.englandhandball.com/club-finder
> **Volley-ball** www.volleyballengland.org/getintovolleyball/clubs

▶ Tennis, touch rugby, yoga... en plein air

« De multiples pratiques sportives sont possibles dans les parcs de Londres. Vous y trouvez des courts de tennis, des terrains de cricket. On y joue beaucoup au touch rugby, une forme plus

Le football

« Les équipes et les clubs ne manquent pas à Londres, c'est le sport numéro un. Si vous voulez rejoindre une équipe d'amateurs, lancez une recherche sur Internet vous en trouverez forcément une. Il y a des milliers de clubs et des centaines de petits championnats. Et sur tous les lieux de travail il existe une équipe de football. Pour les enfants, on trouve aussi des structures de clubs avec un système de sélection, tel que vous le connaissez en France. Londres est complètement fana de football, nous avons 13 équipes professionnelles ici. »

> Trouver un club
www.visitlondon.com/things-to-do/whats-on/sport/football

douce de rugby qui a été importée par la communauté australienne. Tous les week-ends, quand le temps le permet, les parcs se remplissent pour des parties de foot entre équipes de quartier, des séances de gym, de yoga et bien d'autres activités encore. Rendez-vous sur place et renseignez-vous auprès des responsables. À voir absolument, les Hackney Marshes, une vaste étendue d'une centaine de terrains de foot, de rugby et de cricket. C'est impres-

sionnant le dimanche matin quand tous ces terrains accueillent les matches des championnats locaux. C'est dans les parcs que l'on joue le plus au tennis. Dans la moitié des boroughs, les courts sont mis à la disposition du public gratuitement. Et dans les boroughs où les réservations sont payantes, ce n'est vraiment pas très cher. Il existe aussi de nombreux clubs privés, plus onéreux. »

> Trouver un court de tennis
www.lta.org.uk/allplaytennis

▶ L'aviron et la voile

« La Tamise constitue un terrain de jeu idéal. On peut évidemment y ramer, notamment vers Putney, où le départ de la célèbre course entre les universités d'Oxford et de Cambridge, la Boat Race, est donné chaque année. Allez à Putney ou Mortlake le samedi matin, vous y verrez des centaines de bateaux. L'aviron a longtemps été un sport élitiste, mais ça change. Il y a désormais des clubs dans le nord et l'est de Lon-

dres. Nous voulons faire de la Tamise un pôle d'activités sportives et c'est en train de bien se développer, avec notamment des cours de voile près de Greenwich et dans les quartiers de Vauxhall et Westminster. Pour les initiés, il faut sortir de Londres. Il existe quelques réservoirs à une quarantaine de minutes où l'on peut s'amuser. Mais pour les meilleures expériences, il faut descendre dans le Kent, sur la côte. Ce n'est qu'à une ou deux heures de route. »

> Trouver un club d'aviron
www.britishrowing.org/clubs /club-finder

▶ Le golf

« C'est devenu populaire, vous verrez beaucoup de gens avec leurs clubs le samedi matin dans le métro.

Il faut sortir du centre pour trouver des beaux parcours, comme à Richmond, à Sevenoaks, dans le Kent. »

> Golf de Richmond Park
www.richmondparkgolfclub.org.uk

▶ Le rugby

« On ne joue pas au rugby dans les écoles publiques de Londres, en revanche il est très pratiqué dans le privé. La culture du rugby est toutefois présente et on peut y jouer en clubs. Les enfants peuvent commencer par le minirugby, à sept contre sept le samedi ou le dimanche matin. Difficile à pratiquer dans le centre de Londres, ce sport est plus populaire dans les quartiers chics plus excentrés, où il y a de la place pour pratiquer, comme dans le borough de Richmond, où se dresse Twickenham. Londres compte aussi plusieurs clubs professionnels comme les Wasps, les Saracens, les Harlequins, les London Welsh ou les London Irish, qui ont tous des écoles pour les enfants. »

> Trouver un club
www.rugbyinlondon.com

Le cricket

« La culture du cricket ici se base sur les clubs. C'est traditionnel et difficile d'intégrer ce milieu pour quelqu'un qui arrive en Angleterre et ne connaît pas cette culture. Mais pour un enfant qui veut découvrir ce sport, pas de problème, les clubs lui ouvriront leurs portes. Pour aller voir des matches, les principaux terrains sont Lord's et The Oval, qui sont mondialement connus. »

> Trouver un club **www.kentcricketboard.co.uk**

Consommation : les bonnes adresses

Les modes de consommation

▶ Consommation de crise

La crise économique et la récession ont frappé les Londoniens au portefeuille. Comme le reste de leurs compatriotes, ils sont contraints de dépenser moins et d'adapter leurs modes de consommation à la crise. Selon des chiffres publiés par l'Office national des statistiques fin 2012, les ménages de la capitale sont toutefois les mieux lotis en Grande-Bretagne, dépensant en moyenne 575 £ par semaine.

▶ Le supermarché roi

Londres se compose d'une multitude de petits villages dotés de commerces de tailles diverses, allant de la petite épicerie au supermarché. Rares sont les Londoniens qui vont faire leurs courses de la semaine en dehors de leur quartier. Mais on fréquente de moins en moins le poissonnier et le boucher du coin, de plus en plus difficiles à trouver,

tandis que l'écrasante majorité des achats alimentaires se fait dans les supermarchés.

▶ La fin du petit commerce ?

Entre 2000 et 2010, 1 000 petits commerces ont ainsi chaque année fermé leurs portes à Londres tandis que les quatre principales chaînes de supermarché (Tesco, Sainsbury's, Asda, Morrisons) accroissaient leur emprise, se partageant plus des trois quarts du marché selon un rapport de l'Assemblée de Londres. Les commerçants indépendants, qui souffrent de la hausse des loyers immobiliers, sont également confrontés à la concurrence des Tesco Metro et Sainsbury's Local, qui fonctionnent comme des petites épiceries mais avec des prix souvent moins élevés et des horaires plus étendus.

▶ Les charity shops

Que vous soyez en quête d'une robe vintage, d'un trois-pièces d'un grand couturier ou d'un téléviseur bon marché, poussez la porte d'un des nombreux « charity shops » de la ville: vous ferez sans doute une bonne affaire, tout en aidant une bonne cause. La plupart des articles que vous y trouverez proviennent de dons et vos dépenses financeront des œuvres caritatives. On y trouve des vêtements d'occasion, *second hand,* mais aussi des habits neufs. Parmi les plus connus: Oxfam, Cancer Research UK, Save the Children, Barnados ou encore la British Heart Foundation.

▶ Grands magasins et chaînes

Les « department stores » et les « chain stores » sont bien implantés dans la capitale. Revers de la médaille, de nombreuses rues finissent par se ressembler et affichent les mêmes enseignes. Les department stores ont généralement plusieurs étages et vendent toute une série d'articles, des denrées alimentaires aux accessoires de mode en passant par la hi-fi, la déco et l'ameublement. Les grands magasins les plus renommés sont Fortnum & Mason, Harvey Nichols, John Lewis, Harrods et Selfridges, tandis que les boutiques des chaînes Primark, H&M, Topshop (vêtements), Waterstone's et WH Smith (livres) sont très répandues.

Les marchés

Les marchés sont populaires à Londres ; on en compte plus de 350 à travers la ville. Certains ne sont ouverts que le week-end mais ceux du centre le sont plusieurs jours par semaine. Idéals pour les produits frais ou issus de l'agriculture bio (fruits et légumes, viande, poisson, etc.), certains se spécialisent dans un domaine, comme par exemple à Columbia Road où l'on vend des fleurs et des plantes magnifiques à la criée. Les marchés les plus connus de Londres sont Borough Market (alimentaire), Berwick Street Market (fruits et légumes, poisson), Brick Lane Market (occasion, disques, meubles), Brixton Market (produits africains et des Caraïbes), Camden Market (fripes, artisanat), Covent Garden (antiquités, œuvres d'art, objets de collection), Greenwich Market (artisanat, puces, antiquités), Portobello Road Market (antiquités, bijoux), Spitalfields Market (nourriture, antiquités, vêtements). Pour connaître la liste des marchés de votre quartier, renseignez-vous auprès des autorités de votre borough.

Les sites des marchés
> www.boroughmarket.org.uk
> www.portobellomarket.org
> www.spitalfields.co.uk
> www.coventgardenlondonuk.com
> www.brixtonmarket.net
> www.camdenlockmarket.com

▶ Le off licence

À Londres, vous en trouvez partout, et ils sont bien pratiques. Il s'agit d'une sorte d'épicerie où l'on achète de tout : denrées alimentaires, alcool, cigarettes, presse, titres de transport. Ils sont appelés « offies ». Leur nom signifie qu'ils sont autorisés à vendre des boissons alcoolisées à emporter (« off the premises ») et non sur place (« on the premises »), comme les pubs par exemple.

▶ Livraisons à domicile et Internet

Le shopping sur Internet gagne du terrain. La plupart des supermarchés proposent un service de livraison à domicile, qui peut-être gratuit en fonction du montant des courses. Les grosses chaînes ont des sites Internet sur lesquels il est possible de faire ses achats en ligne. Si vous préférez vous rendre en magasin, n'hésitez pas à faire appel au service d'un

minicab (taxi réservé auprès d'une compagnie). Dans de nombreux supermarchés, des lignes téléphoniques directes vous mettent en relation avec eux. Ils vous raccompagnent chez vous avec vos courses pour environ 6 £ quand le supermarché se trouve dans un rayon de deux kilomètres autour de votre domicile.

▶ Heures d'ouverture

Les magasins du centre de Londres ouvrent leurs portes entre 9 h et 10 h et ferment généralement autour de 18 h, du lundi au samedi. Les supermarchés ont des horaires d'ouverture plus étendus, pouvant aller de 7 h à 23 h en semaine. Les grands magasins ont le droit de rester ouverts le dimanche, mais seulement pendant une période de six heures d'affilée, tandis que les petits commerces ne sont pas limités. La plupart

des Londoniens font leurs courses le week-end ou en fin d'après-midi.

▶ Les soldes

Il existe deux grandes périodes de soldes. La première débute fin décembre et l'autre se déroule en juillet. Certains magasins proposent des articles bradés tout au long de l'année.

▶ Cartes de fidélité

Les supermarchés et les grands magasins délivrent des cartes de fidélité offrant des réductions, des soldes spéciales, la possibilité d'acheter à crédit ou bien encore des points que l'on peut ensuite transformer en livres sterling au moment de passer à la caisse.

▶ Le cash back

Un service proposé par les supermarchés et divers magasins. Au moment de payer, vous pouvez demander au caissier de vous donner de l'argent liquide, dont le montant sera ajouté à celui de vos achats. Commode quand il n'y a pas de banque à proximité. Évitez en revanche les distributeurs de billets (ATM) installés dans les off licences, qui prélèveront une commission sur vos retraits.

Les Londoniens se déplacent pour...
Alimentation et épicerie fine

▶ **Supermarché participatif**

Ouvert en 2010, ce supermarché fonctionnant comme une coopérative connaît un succès grandissant. N'importe qui peut y faire ses courses, mais on peut aussi en devenir membre contre la somme de 25 £ et obtenir d'importantes réductions, à condition de s'engager à y travailler quatre heures par mois. Produits frais et de bonne qualité, prix honnêtes: une bonne alternative à l'hégémonie des Big Four (Tesco, Sainsbury's, Asda, Morrisons)

> The People's Supermarket
72-78 Lamb's Conduit Street,
WC1N 3LP
www.thepeoplessupermarket.org

▶ **Vins et alcools**

Berry Bros & Rudd est le caviste le plus connu et le plus ancien de Londres. Il approvisionne la famille royale depuis George III et propose environ 5 000 bouteilles sélectionnées avec le plus grand soin. La maison

Fromages anglais... et français

Ceux qui sont encore persuadés que le fromage anglais n'a aucun intérêt peuvent venir à Londres enterrer leurs préjugés. Neal's Yard s'approvisionne auprès de 70 producteurs en Grande-Bretagne et en Irlande. Les fromages sont mûris dans les fermes ou dans la chambre d'affinage de l'entreprise à Bermondsey. Deux magasins dans Londres, à Covent Garden et Borough Market. Moins connue que Neal's Yard mais plus chic, la boutique Paxton & Whitfield se trouve sur Jermyn Street, près de Piccadilly. Ici, on fait du fromage depuis plus de deux siècles et Winston Churchill ne s'y trompait pas: « *A gentleman only buys his cheese at Paxton & Whitfield* », dit-il un jour. Partenaire de la fromagerie parisienne Androuet, l'enseigne propose une large gamme de produits français. Enfin La Fromagerie jouit d'une bonne réputation et compte deux lieux de vente, à Highbury et Marylebone.

> www.nealsyarddairy.co.uk
> www.paxtonandwhitfield.co.uk
> www.lafromagerie.co.uk

organise dégustations et initiation à l'œnologie. Service de vente en ligne assuré.

> Berry Bros & Rudd
3 St James's Street, SW1A 1EG
www.bbr.com

▶ **Le temple des produits fins**

Le Harrods Food Hall est une splendeur. Situé dans le luxueux magasin de Knightsbridge, le Food Hall vend des produits de qualité du monde entier. Les étals et les vitrines sont impeccables, le personnel tiré à quatre épingles et aux petits soins. Poissons, fromages, desserts, chocolats: on a envie de tout acheter. Mais le luxe a un prix. Possibilité de dégustation sur place. Si vous en avez les moyens, faites un détour par le bar à caviar.

> Harrods Food Hall
87-135 Brompton Road, SW1X 0NA
www.harrods.com

▶ 100 % made in London

Les Farmers' Market de Londres sont rattachés à la fédération nationale et leur charte stipule que tous les produits qui y sont vendus doivent avoir été fabriqués à moins de 100 km de la capitale. Leur but est d'inciter les producteurs à utiliser les méthodes les plus naturelles possibles, de leur permettre de vendre sans intermédiaire à des consommateurs qui de leur côté ont ainsi la possibilité d'acheter local. On en trouve une vingtaine dans Londres, dont la liste est disponible sur le site de l'association.

> London Farmers' Markets
www.lfm.org.uk

▶ Spécialités italiennes

Ce magasin de Soho vend des produits italiens depuis 1944. On y trouve de délicieux antipasti, des salamis, des jambons, des fromages, des artichauts, du

Trouver des produits français

Avec plus de 300 000 Français installés ici, on y trouve évidemment tout ce qu'il faut pour préparer une blanquette de veau. Ce sera sans doute plus difficile de cuisiner une bouillabaisse dans les règles de l'art, mais avec un peu d'effort, c'est possible. De nombreuses grandes enseignes tricolores (Paul, Ladurée, Nicolas, Poilâne) sont présentes à Londres et il existe même des supermarchés en ligne (Chanteroy, French Click, France To Your Door) spécialisés dans le commerce de produits de l'Hexagone que l'on ne trouve pas dans les magasins anglais. Axé sur le frais, Natoora opère aussi en Grande-Bretagne. Sur le site frenchfairs.com, on trouve un agenda des foires et marchés dédiés aux produits français à Londres et dans ses environs. Pour le fromage, rendez-vous à La Cave à Fromage, dans le quartier français de South Kensington, et chez Pascal Beillevaire, qui a ouvert une boutique à Knightsbridge, à deux pas de Harrods. Pour le saucisson, les terrines et autres produits du Sud-Ouest, Le Comptoir Gascon est incontournable. Il existe aussi de multiples boulangeries françaises dans Londres, mais si vous n'en trouvez pas dans votre quartier, pas besoin de faire des kilomètres pour une baguette : celle du supermarché Waitrose est très bonne.

pesto frais, des olives et des pâtes à se damner. Il est aussi réputé pour ses truffes et son service, irréprochable.

> Lina Stores
18 Brewer Street, W1F 0SH
www.linastores.co.uk

▶ Le paradis du thé

Rendez-vous chez Postcard Teas pour dégoter des thés raffinés du monde entier, dont la provenance est méticuleusement tracée. Cette petite boutique est située dans Mayfair. On y déguste toutes les variétés possibles et imaginables de la boisson la plus populaire d'Angleterre.

> Postcard Teas
9 Dering Street, W1S 1AG
www.postcardteas.com

Les Londoniens se déplacent pour...
Mode et bien être

▶ La mode à petits prix

Le paradis des fashionistas qui n'ont pas les moyens de se fournir chez les créateurs. Le magasin principal, une gigantesque surface sur plusieurs étages, se trouve à Oxford Circus mais la chaîne compte plusieurs boutiques dans la ville. On y trouve des vêtements branchés ou vintage s'inspirant des défilés de mode à des prix raisonnables. Topshop collabore régulièrement avec des personnalités de la mode comme Kate Moss pour le design de ses lignes. On y trouve aussi des accessoires (sacs, chaussures, etc.) et une ligne pour femmes enceintes très appréciée des Londoniennes.
> Topshop
216 Oxford Street, W1D 1LA
www.topshop.com

▶ Jeune et abordable

Cos, la marque haut de gamme d'H&M, propose vêtements de bonne qualité et élégants, accessoires pour hommes et femmes et une ligne pour enfants assez originale. Plusieurs boutiques dans Londres dont une sur Regent Street. Très bon marché, les magasins Primark ont beaucoup de succès auprès des jeunes. À Londres, le principal est implanté sur Oxford Street.
> Cos
222 Regent Street, W1B 5BD
www.cosstores.com
www.primark.co.uk

Une institution

Le plus grand magasin de la chaîne Marks & Spencer se trouve sur Oxford Street. La marque créée à la fin du XIXᵉ siècle a su se moderniser en multipliant les collections pour toucher des profils différents et compte toujours des millions d'adeptes. Belle gamme masculine de style classique (pulls en cachemire, costumes, etc.) à prix ultracompétitifs, vaste gamme de chaussures. On trouve aussi des vêtements pour les enfants et tout le nécessaire pour la maison.
> **Marks & Spencer**
458 Oxford Street, W1C 1AP www.marksandspencer.com

▶ Temple de la mode

Dover Street Market est LE magasin branché, sorte de temple de la mode, créé par Rei Kawakubo (Comme des Garçons). Agencée sur plusieurs étages, la boutique recèle de pièces de grands noms tels Azzedine Alaïa, Rick Owens, Alexander McQueen ou Lanvin.

> Dover Street Market
17-18 Dover Street, W1S 4LT
www.london.doverstreetmarket.com

▶ Mode homme

Topman est réservé à la mode homme. Les vêtements les plus originaux se trouvent dans leur « general store » de Shoreditch. On y trouve la panoplie parfaite du hipster : chemises de bûcheron ou à motifs, pantalons ultraslims, T-shirts aux motifs fluores-

Department stores

Fortnum & Mason, Harrods, Liberty, Harvey Nichols sont les grands « department stores » de la ville, connus dans le monde entier. Un peu à l'écart du tumulte d'Oxford Circus, se dresse l'iconique façade à colombages du chic et cher magasin Liberty. On y trouve toutes les grandes marques, des créateurs de mode ainsi que des articles « so british » : au dernier étage, magnifiques services à thé en porcelaine imprimée. Fortnum & Mason est réputé pour son salon de thé tandis que Harrods et Harvey Nichols attirent les touristes et les Londoniens en quête des grandes griffes.

> www.fortnumandmason.com   > www.harveynichols.com
> www.harrods.com   > www.liberty.co.uk

cents, chaussures brogues et cardigans. Sélection de marques comme Pendleton, John Smedley et Percival.
> Topman General Store
98 Commercial Street, E16LZ,
www.topman.com

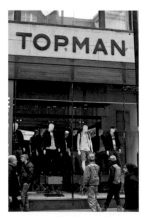

▶ Cosmétiques naturels

Ouvert en 1981, Neal's Yard Remedies compte des millions d'adeptes et possède une vingtaine de boutiques dans Londres. Le credo de l'entreprise : des ingrédients naturels au service de la beauté et du bien-être. Vaste gamme de produits pour le visage, le corps et les cheveux (savons, crèmes, huiles

essentielles, etc.) et soins prodigués sur place dans certains magasins.
> www.nealsyardremedies.com

© Laure Martineau

Les Londoniens se déplacent pour...
Loisirs culturels

▶ **Les librairies incontournables**

Demandez à un Londonien où il achète ses livres, il vous répondra probablement chez Foyles. La première librairie a ouvert en 1906 ; il y en a désormais cinq dans la capitale. La plus connue, immense, se trouve à Charing Cross. Elle est réputée pour son large choix d'ouvrages spécialisés et de partitions de musique. La chaîne Waterstones est également renommée. Hatchards, sur Piccadilly, jouit d'une excellente réputation depuis la fin du XVIIIe siècle. Oscar Wilde et lord Byron faisaient partie des clients de la maison, qui organise régulièrement des séances de dédicace avec des auteurs britanniques.
> www.foyles.co.uk
> www.hatchards.co.uk
> www.waterstones.co.uk

Les instruments de musique

Vous n'avez pas apporté vos instruments à Londres ? N'ayez crainte, vous trouverez tout ce qu'il faut sur place. Pour les guitares et les partitions, rendez-vous à Tottenham Court Road, chez Andy's Guitar Centre, où vous pourrez aussi prendre des leçons. Les musiciens classiques vont chez J & A Beare, près du métro Bond Street, pour les instruments à cordes d'époque. À Stoke Newington, Bridgewood & Neitzert se spécialise aussi dans les cordes. Chappell of Bond Street, désormais installé dans le West End, vend une large gamme de pianos électroniques ou acoustiques, des guitares, des instruments à vent et à corde, des cuivres et des batteries.

> www.chappellofbondstreet.co.uk > www.andysguitarnet.com
> www.beares.com > www.londonviolins.com

▶ **Les disquaires**

On trouve à Londres de nombreux disquaires spécialisés. Le plus connu, Rough Trade, lancé à la fin des années 1970 à Notting Hill, a désormais un autre magasin à Brick Lane. D'abord spécialisé dans les imports américains et jamaïquains, Rough Trade s'est développé avec l'essor de la scène punk puis des labels indépendants. Pour la musique électronique, on conseillera Phonica Records, dans Soho, passage obligé des DJ les plus pointus. À Notting Hill, sur Portobello Road, ne manquez pas Honest Jon's (trésors afro-beats, de northern soul, jazz, folk). Dans le West End, entrez chez Sister Ray, une excellente adresse pour les vinyles (nouveautés et disques plus rares).

> www.hmv.co.uk
> www.sisterray.co.uk
> www.roughtrade.co.uk
> www.honestjons.com
> www.phonicarecords.com

Les librairies françaises

Plutôt que de commander vos livres sur le Net, passez les portes d'une des nombreuses librairies françaises installées à Londres. La plus connue, The French Bookshop, se trouve dans le quartier de South Kensington, à deux pas du lycée français. Implantée dans ce bastion de la francophonie depuis une trentaine d'années, cette librairie-papeterie vend un vaste choix d'œuvres de fiction et de manuels scolaires et organise des séances de dédicaces avec des auteurs de renom. La Page, dans le même quartier, est également appréciée des lecteurs francophones, qui y achètent toutes les nouveautés, de la littérature enfantine ainsi qu'une sélection de magazines, de CD et de DVD; des séances de dédicace s'y déroulent aussi. Il est bien sûr possible de passer des commandes spécifiques aussi bien au French Bookshop qu'à La

Page. Proche de Piccadilly, The European Bookshop est une excellente adresse qui se spécialise dans les ouvrages rédigés dans les langues européennes. Le catalogue est vaste et l'on y trouve des livres pour les étrangers souhaitant apprendre la langue française. La principale boutique spécialisée dans les ouvrages en langues étrangères est Grant & Cutler. Vous y achèterez des centaines de titres en français, des films et des CD dans leur magasin principal à Charing Cross. Il est également possible de se procurer des ouvrages

d'occasion, notamment à la boutique Oxfam située sur Kensington High Street. Les bouquins y sont en bon état, et se vendent entre 3 et 8 £. Enfin si vous souhaitez lire sans acheter, devenez membre de l'Institut français pour emprunter les livres, disques et films dans leur excellente médiathèque.

> **The French Bookshop**
28 Bute Street, SW7 3EX
☎ 020 7584 2840
www.frenchbookshop.com

> **La Page**
7 Harrington Road, SW7 3ES
☎ 020 7589 5991
www.librairielapage.com

> **The European Bookshop**
5 Warwick Street, Soho, W1B 5LU
☎ 020 7734 5259
www.europeanbookshop.com

> **Grant and Cutler at Foyles**
113-119 Charing Cross Road,
WC2H 0EB
☎ 020 3206 2640
www.grantandcutler.com

> **Oxfam**
202b Kensington High Street,
W8 7RG
☎ 020 7 9376683
www.oxfam.org.uk/shop
/local-shops

> **Institut français**
17 Queensberry Place, SW7 2DT
☎ 020 7871 3515
www.institut-francais.org.uk

Les Londoniens se déplacent pour...
Déco, équipement, maison

▶ Tout pour s'équiper

Chez John Lewis, il y a tout ce qu'il faut pour équiper et décorer sa maison : électroménager, TV, matériel hi-fi, appareils photo, meubles, etc. Ce n'est certes pas original, mais la qualité est là. Quatre boutiques dans Londres, à Chelsea (Peter Jones), Oxford Street, Kingston et Brent Cross.
> www.johnlewis.com

▶ Hi-fi et électroménager

Londres compte une petite dizaine de magasins Currys. Ils vendent de l'électroménager, des téléviseurs, du matériel hi-fi, des ordinateurs et des appareils photos. Prix compétitifs et offres spéciales régulières. La chaîne Richer Sounds est également populaire et possède dix boutiques dans la capitale. Grand choix de téléviseurs et de matériel hi-fi. Surveillez leurs promotions sur les grandes marques (JBL, Q Acoustics, Kef, etc.).
> www.richersounds.com
> www.currys.co.uk

▶ Déco so british !

Fondé en 1810, le magasin Heal's est situé dans un immeuble célèbre de Londres, à Tottenham Court Road. Les classes moyennes aisées viennent ici pour meubler et décorer leur intérieur. Vaste gamme de marques et de designers britanniques.
> www.heals.co.uk

Design contemporain

Pour les ménages aisés souhaitant des lignes plus originales que celles d'Habitat (plusieurs magasins à Londres), la marque SCP propose de beaux meubles de style contemporain. On trouve aussi dans leurs deux magasins londoniens des ustensiles de cuisine, des tapis et des plaids ainsi que divers gadgets. Situé dans le magnifique immeuble Michelin sur Fulham Road, The Conran Shop est un lieu incontournable pour les amateurs de design. Meubles, coussins, luminaires, ustensiles de cuisine ou postes de radio, tout y est beau. On y trouve aussi de très bonnes idées de petits cadeaux. Il existe un deuxième magasin à Londres, dans le quartier de Marylebone.
> www.scp.co.uk
> www.conranshop.co.uk

Les Londoniens se déplacent pour...
Centres commerciaux

▶ Les supermarchés

Les quatre principaux sont Tesco, Sainsbury's, Asda, Morrisons. Ils sont installés partout et il est rare de devoir marcher plus de dix minutes sans trouver l'un d'eux. Tesco est réputé pour ses prix compétitifs, globalement un peu moins élevés que ceux de Sainsbury's même si les deux géants se marquent à la culotte en la matière. La gamme Taste the Difference, de Sainsbury's, met en avant de bons produits à des tarifs abordables. Asda se targue d'être la chaîne la moins chère du pays sans pour autant faire de compromis sur la qualité. En cette période de morosité économique, Morrisons met également l'accent sur le rapport qualité-prix. Morrisons est moins bien implanté à Londres que ses rivaux mais a prévu d'ouvrir dans un avenir proche de nouveaux magasins affichant les mêmes tarifs que ceux pratiqués dans ses supermarchés de la périphérie. Toujours dans la catégorie des grandes surfaces bon marché figure également la chaîne Iceland, dont la spécialité demeure le congelé. Les familles les plus aisées s'orientent quant à elles le plus souvent vers Marks & Spencer ou Waitrose, pour d'excellents produits frais ainsi qu'une bonne cave à vin.

> www.tesco.com
> www.sainsburys.co.uk
> www.morrisons.co.uk
> www.asda.com
> www.marksandspencer.com
> www.iceland.co.uk
> www.waitrose.com

▶ Les centres commerciaux

Deux gigantesques centres commerciaux Westfield sont installés à Londres et constituent, pour des budgets raisonnables, une bonne alternative aux department stores. Le premier, d'une surface équivalente à 30 terrains de football, se trouve dans l'ouest, dans le quartier de Sheperd's Bush, et compte 388 boutiques en tous genres et une trentaine de restaurants. Le second, à l'est, est un peu plus grand et a été bâti à Stratford, à deux pas du Parc olympique.

> uk.westfield.com/london
> uk.westfield.com/stratfordcity

Enfance
et scolarité

Petite enfance :
les solutions de garde

▶ **Tarifs exorbitants**

À Londres, quand on n'a pas d'argent, mieux vaut ne pas avoir d'enfant ! Les solutions de garde sont certes multiples et, la plupart du temps, excellentes pour le développement de votre progéniture, mais les tarifs sont exorbitants. Selon l'OCDE, la Grande-Bretagne est le pays où les frais de garde sont les plus élevés au monde après la Suisse : 26,6 % des revenus des familles sont consacrés à ce budget. Le tableau est encore plus sombre à Londres avec des coûts s'élevant en moyenne à plus de cinq livres par heure dans les crèches, *day nurseries*, d'après Daycare Trust, organisme spécialisé dans la petite enfance. Et encore, il ne s'agit que d'une moyenne qui prend en compte les quartiers les plus pauvres de la capitale britannique. Les prix peuvent s'envoler et atteindre parfois 20 000 £ par an pour un enfant ! Résultat : de nombreuses mères londoniennes choisissent de ne pas retourner travailler, et seulement 60 % de la population féminine exerce une activité professionnelle.

▶ **Un casse-tête**

Le conseil municipal de Londres a estimé en 2012 le montant moyen des frais de garde pour les moins de deux ans, toutes solutions confondues, à 119 £ par semaine. Des études l'évaluent à 180 £ ! Les parents sont par ailleurs confrontés à d'autres difficultés : longues journées de travail, temps passé dans les transports et absence de

famille proche pour s'occuper de leurs rejetons. La crise économique et les coupes dans les budgets des autorités locales n'ont pas amélioré la donne, avec la fermeture de nombreuses crèches municipales aux tarifs abordables dans les children's centres de plusieurs boroughs. Avec le budget afférent et un peu de temps, vous trouverez le mode de garde idéal. Mais les familles les moins aisées devront sérieusement réfléchir au problème avant de s'installer à Londres, en accordant une importance primordiale à leurs horaires. Une nourrice sera ainsi probablement beaucoup plus adaptée qu'une crèche pour des parents ayant une activité avec des heures de travail variables.

▶ Les childminders

Les nourrices, ou *childminders,* gardent les enfants chez elles, avant ou après l'école, toute la journée, généralement entre 8 h et 18 h, et pendant les vacances scolaires. On en recense environ 10 000 dans Londres. Les childminders doivent être enregistrées auprès de l'Ofsted, l'organisme britannique chargé des inspections des établissements scolaires et des employés du secteur de l'éducation. Elles sont payées à l'heure, à un tarif négocié avec les parents, de l'ordre de cinq livres à Londres. Les childminders peuvent veiller au maximum sur six enfants âgés de moins de huit ans,

à condition qu'il n'y en ait pas plus de trois de moins de cinq ans.

▶ Les nannies

Populaires en Angleterre, les nannies viennent garder les enfants à votre domicile la journée, « live out », ou vivre chez vous, « live in ». Contrairement aux childminders, qui sont des travailleurs indépendants, les nannies sont des employées de maison et vous devrez donc payer leurs cotisations sociales. Les nannies sont très appréciées du fait de leur grande flexibilité, mais elles ont un coût, entre 250 et 500 £ par semaine à Londres en fonction de leurs tâches et de leur statut. Attention ! Elles ne font pas l'objet d'un enregistrement obligatoire auprès de l'Ofsted, il convient donc d'être vigilant lors de l'entretien d'embauche. De nombreuses agences proposent leurs services – payants – sur Internet. Si vous cherchez une nounou francophone et expérimentée, vous pouvez faire appel à l'agence French Nanny, fondée par deux Françaises installées à Londres.

> **" Je n'ai jamais imaginé me consacrer entièrement à mes enfants, âgés de 12 et 5 ans. Financièrement, ça a été dur et nous avons dû faire beaucoup de sacrifices avec mon mari afin que je puisse continuer à travailler. Nous n'avons pas pu assumer les coûts d'une nanny à domicile ou d'une nursery à temps plein et avons opté en arrivant à Londres pour le childminder, plus économique. Mais même dans ces conditions, à une époque où je travaillais dans les ressources humaines et gagnais environ 31 000 £ par an, il ne me restait que 50 £ une fois réglés mon prêt immobilier et les frais de garde. J'ai lancé récemment une agence de placement d'employés au pair et je travaille désormais à domicile. Mes enfants fréquentent les kids' clubs après l'école et je fais appel aux services d'une fille au pair pendant l'été. "**

Nicole, 37 ans, directrice d'agence de placement d'employés au pair

▶ **Les Sure Start children's centres**

Ces centres d'éveil sont réservés aux moins de cinq ans. Ils sont généralement ouverts de 8 h à 18 h toute l'année et proposent des séances d'éveil, des services de garderie à des tarifs intéressants ainsi que du soutien psychologique aux familles et des conseils en matière de santé. Mais les places à plein-temps dans les crèches liées à ces centres se font rares. Une autre solution consiste à contacter une des nursery schools de la ville, qui sont généralement rattachées à une école primaire.

▶ **Les day nurseries**

Les day nurseries sont ouvertes du lundi au vendredi et accueillent les enfants à partir de quelques mois jusqu'à cinq ans. On en trouve de tous les types : privées, municipales ou d'entreprise, toutes enregistrées à l'Ofsted. Afin de choisir celle qui vous correspond, prenez rendez-vous avec le responsable de l'établissement pour une visite et des explications précises. Il existe d'excellentes crèches à Londres, anglophones, bilingues ou francophones (L'École du Parc, Les Petites Étoiles, Les Chatons, etc.). Leur coût varie significativement et peut parfois atteindre plus de 300 £ par semaine, couches non fournies. Cela étant, tout y est mis en œuvre pour garantir le développement des bambins avec des activités allant de la peinture à pleine main (ou avec les pieds !) aux cours de cuisine en passant par les journées déguisement. Une excellente solution si vous voulez sociabiliser votre enfant dès son plus jeune âge.

▶ **Les playgroups**

Enregistrés auprès de l'Ofsted, les playgroups proposent des séances d'environ trois heures aux deux-cinq ans accompagnés de leurs parents. Vous aurez la possibilité de laisser votre enfant seul après être resté avec lui le temps qu'il se familiarise avec les employés du centre. Une solution pratique si vous n'avez pas besoin d'une garde à plein-temps.

Aides financières

Le child benefit est une allocation versée aux familles toutes les quatre semaines en fonction du nombre d'enfants. Vous pouvez en faire la demande, quelle que soit votre nationalité. Si vous répondez aux critères, vous percevrez cette aide même si votre fils ou fille ne vit pas avec vous, mais vous devrez prouver que vous prenez en charge son éducation. L'allocation s'arrête généralement aux 16 ans de l'enfant. Fin 2013, le montant du child benefit était de 20,30 £ par semaine pour un enfant ou pour l'aîné d'une famille, les autres donnant droit à une allocation de 13,40 £ par semaine. Le child tax credit permet par ailleurs de déduire de ses impôts les frais de garde jusqu'à un certain seuil. En échange d'une baisse de salaire, certaines entreprises proposent des « childcare vouchers » qui permettent de payer les frais de garde. Ces bons, d'un montant maximal de 243 £ par mois, ne sont pas imposables et permettent d'économiser jusqu'à 1 200 £ par an.

▶ Jeune fille au pair

C'est la solution la plus économique… à condition d'avoir une chambre pour la loger. Les jeunes filles au pair ne sont pas considérées comme salariées et n'ont pas de contrat de travail. Rémunérées de 60 à 100 £ hebdomadairement, elles gardent vos enfants entre 20 et 25 heures par semaine et effectuent deux soirées de baby-sitting hebdomadaires. Sachant qu'une heure de garde le soir à Londres coûte environ 10 £, c'est une solution économique. De nombreuses agences proposent le placement d'employés au pair de toutes nationalités, mais il est facile d'en contacter directement via des sites comme Gumtree, où les annonces foisonnent.

▶ Éducation gratuite

Tous les enfants de trois et quatre ans vivant en Angleterre ont droit à 15 heures d'éducation gratuites par semaine afin de se préparer à l'école. Dans certains cas, les petits de deux ans peuvent également en bénéficier. Pour en profiter, les parents doivent se rendre dans les nurseries, les pre-schools, les playgroups et les chidren's centres de la ville participant au programme, ou contacter un childminder.

Infos pratiques

▶**Pacey**
www.pacey.org.uk

▶**Trouver une nanny**
www.childcare.co.uk

▶**Trouver une nounou francophone**
www.french-nanny-london.co.uk
www.ncma.org.uk/Default.aspx

▶**Children's centre**
childrenscentresfinder.direct.gov.uk/childrenscentresfinder

▶**Nursery school**
www.gov.uk/find-nursery-school-place

▶**Nursery**
www.daynurseries.co.uk
www.ndna.org.uk

▶**Plus d'informations**
www.pre-school.org.uk

▶**Centre d'informations familiales local (FIS)**
www.daycaretrust.org.uk/findyourFIS

▶**Pour en savoir plus sur les aides financières**
www.hmrc.gov.uk
(saisir « childbenefit » dans le champ de recherche)
www.hmrc.gov.uk
(saisir « children and tax credit » dans le champ de recherche)
www.childcarevouchers.co.uk

Les loisirs pour les petits (et les plus grands)

lonné Brockwell Park est une bouffée d'air frais aux abords de Brixton. Dans le centre de Londres, Hyde Park, Kensington Gardens et Regent's Park regorgent d'activités pour les enfants (Serpentine, bateau pirate installé sur le Princess Diana Memorial Playground, zoo). La visite des jardins botaniques de Kew Gardens vous fera découvrir une serre tropicale, un superbe playground et un chemin dans les arbres.

Pour tous les âges

▶ Les parcs et les jardins

Par beau temps, rien ne vaut une journée dans l'un des parcs ou jardins de Londres, que l'on pourrait passer une vie à explorer. Ceux de Hampstead Heath, Greenwich et Richmond sont splendides. Richmond, le plus vaste de tous les parcs royaux, est réputé pour ses cerfs et ses biches, qui émerveilleront les plus jeunes. Moins connu, plus petit mais charmant, le val-

Dès 5 ans

▶ Le British Museum

Même si votre adolescent en crise fait la moue à la perspective d'une sortie au British Museum, ne cédez pas, il y a de fortes chances pour qu'il vous remercie. Véritable insti-

Dès 5 ans

Les musées de South Kensington

Le Victoria and Albert Museum (surnommé V&A), le Science Museum et le Natural History Museum sont tous trois situés à South Kensington. Au musée des Sciences, ne manquez pas le Launchpad, où les enfants peuvent se livrer à toutes sortes d'expériences, comme fabriquer des arcs-en-ciel ou contrôler la température de leurs corps grâce à des caméras thermiques. Au V&A, consacré à l'art, au design et à l'artisanat, les enfants peuvent essayer des costumes d'époque ou découvrir la poterie tandis que l'espace du musée d'Histoire naturelle consacré aux dinosaures restera à jamais gravé dans les mémoires. Attention au T-Rex, il bouge !

> Victoria & Albert Museum www.vam.ac.uk
> Science Museum www.sciencemuseum.org.uk
> Natural History Museum www.nhm.ac.uk

tution visitée par six millions de personnes chaque année, cet établissement vieux de 250 ans n'a pas pris une ride et recèle de trésors du monde entier. La pierre de Rosette et les fresques du Parthénon n'intéresseront probablement pas toute la famille, mais les salles consacrées au Japon (armures et sabres de samouraï) et à l'Égypte (momies et sarcophages) connaissent toujours un franc succès auprès des plus jeunes. Des activités familiales sont organisées toute l'année, comme les nuits au musée ou les itinéraires d'exploration.
> British Museum
www.britishmuseum.org

Dès 1 an
▶ La ferme d'Hackney
Au cœur du Londres industriel, se trouve une oasis au calme champêtre où petits et grands verront une importante variété d'animaux de la ferme : cochons, ânes, chèvres, poules, oies, moutons… Le jardin et son potager valent également le détour. Des activités pour les familles y sont régulièrement organisées et vous y trouverez également toute une gamme de produits biologiques.
> Hackney City Farm
www.hackneycityfarm.co.uk

Pour tous les âges
▶ Legoland
Installé à Windsor, ce grand parc consacré aux fameux Lego propose une soixantaine d'attractions (voitures électriques, montagnes russes, dragons, pirates, aventures, etc.) pour tous. Très populaire, mais l'enthousiasme de la famille

Dès 2 ans
Le zoo de Londres
Le parc zoologique de Londres n'est certes pas bon marché (20 £ pour un adulte), mais vous en aurez pour votre argent. Installé à Regent's Park, il permet au visiteur d'approcher gorilles à dos gris, tigres, okapis, pingouins et girafes. Les aquariums recèlent d'espèces plus incroyables les unes que les autres et les papillons du Butterfly Paradise, un tunnel à l'atmosphère tropicale, viennent se poser sur votre épaule. Plus petit et moins cher, le zoo de Battersea constitue une bonne alternative pour les enfants de moins de deux ans et leurs parents.
> **London Zoo** www.zsl.org/zsl-london-zoo
> **Battersea Park Children's Zoo** www.batterseaparkzoo.co.uk

risque d'être douché par les tarifs exorbitants et les longues files d'attente.
> Legoland **www.legoland.co.uk**

Dès 2 ans et demi
▶ Le musée des Transports
Vous rêvez de conduire un bus rouge à étage ou d'expérimenter les sensations d'un conducteur de métro ? Rendez-vous à Covent Garden, au London Museum Transport, pour quelques heures de détente ludique. On y découvre un historique complet des modes de transports dans la capitale, avec au programme expositions de rutilants véhicules d'époque (bus, tramway, métros, calèches…) et de merveilleuses maquettes. Les enfants recevront à l'entrée un ticket à composter dans des machines disséminées dans les salles du musée. Un passe annuel vous permettra de revenir aussi souvent que vous en aurez envie.
> London Transport Museum
www.ltmuseum.co.uk

Pour tous les âges

London Wetland Centre

Cette réserve naturelle de plus de 40 hectares un peu à l'écart du centre, dans le quartier de Barnes, n'est pas très connue, mais vaut le déplacement, notamment pour la grande diversité des oiseaux qui y vivent. Environ 200 espèces ont pu y être observées. Ne manquez pas les chauves-souris, les cygnes noirs et les butors. Le lieu est reposant, idéal pour une promenade, et équipé de playgrounds pour les plus jeunes.
> London Wetland Centre
www.wwt.org.uk/visit/london

Dès la naissance

▶ Cinéma jeunesse

Aux quatre coins de la ville, de nombreuses salles de cinéma proposent des rendez-vous pour les enfants à des tarifs intéressants. Citons notamment le kids' club de la chaîne Picturehouse, tous les samedis matin, avec des places à une livre et une programmation alliant suc-

cès commerciaux et films d'auteur. Les cinémas Picturehouse programment des séances réservées aux personnes accompagnées de nourrissons qui souhaitent se faire une toile malgré les braillements et les couches à changer. Le Framed Film Club du cinéma du Barbican sélectionne aussi nouveautés et classiques pour toute la famille.
> Picturehouse
www.picturehouses.co.uk
> Framed Film Club
www.barbican.org.uk

Dès 8 mois

▶ Les playgrounds en salle

Par mauvais temps, ce qui est fréquent ici, une bonne alternative à l'après-midi passé devant la télé consiste à accompagner ses enfants dans l'un des multiples playgrounds couverts de la capitale. Ils s'y défouleront dans des piscines à balles et sur des toboggans gonflables, dans une atmosphère survoltée, pendant que vous tenterez de vous détendre en buvant une tasse de thé.
> Playgrounds couverts
www.itsakidsthing.co.uk
www.gambado.com

Dès 3 ans

▶ Horniman Museum and Gardens

Installé dans le sud de Londres, ce musée, fondé par le marchand de thés et collectionneur Frederick John Horniman, abrite des trésors de toutes sortes (squelettes, insectes, masques, fossiles). Plus de 3 700 objets sont à la disposition des visiteurs et peuvent être touchés ou essayés. La Music Gallery, où sont exposés plus de 1 500 instruments de musique, est appréciée par les adolescents, qui peuvent en écouter les sons et même en essayer certains.

> Horniman Museum and Gardens
www.horniman.ac.uk

À partir de 2 ans et demi

Le *Cutty Sark*

La visite du *Cutty Sark*, l'un des bateaux les plus célèbres du monde, est l'occasion d'une balade dans le
paisible quartier de Greenwich, au bord de la Tamise.
Ce clipper spécialisé dans le transport du thé et de
la laine a récemment été restauré après avoir été endommagé dans un incendie.

> Cutty Sark
www.rmg.co.uk/cuttysark

Dès 5 ans

▶ Les patinoires

À Noël, les patinoires en
plein air poussent comme
des champignons. Les plus
connues sont installées à la
Somerset House, dans un
cadre somptueux, à Hyde
Park, au musée d'Histoire
naturelle, à Canary Wharf,
à Hampton Court et à côté
de la tour de Londres.

> Patinoires en plein air
▸ **www.somersethouse.org.uk
/ice-rink**
▸ **www.nhm.ac.uk/visit-us/whats-on
/ice-rink/index.html**
▸ **www.hydeparkwinterwonderland
.com**
▸ **www.skatecanarywharf.co
m/website**
▸ **www.hamptoncourticerink.com**
▸ **www.toweroflondonicerink.com**

Où s'informer ?

Que faire avec les enfants ?
La réponse est dans
l'hebdomadaire *Time Out* !
Sa version papier est moins
détaillée depuis qu'il est
devenu gratuit, mais
son site (rubrique « Kids »)
est une mine d'or. Le
très officiel Visit London
comprend lui aussi une page
consacrée à l'enfance, avec
un agenda et de nombreuses
suggestions de visites.
Un autre site, Kids Fun
London, liste pour les parents
toutes les activités, gratuites
ou payantes : séances
de cinéma, expositions,
pièces de théâtre, festivals,
concerts, etc. La mise
en pages est confuse,
mais c'est très complet.
Le francophone Mamans
à Londres comprend
aussi une rubrique destinée
aux enfants baptisée
P'tit Londonien. On y trouve
un agenda des sorties,
des conseils sur les modes
de garde, des informations
sur les musées et les parcs
ainsi que des idées de lecture.

www.timeout.co.uk
www.mamansalondres.com
www.visitlondon.com
www.kidsfunlondon.co.uk

Scolariser ses enfants à Londres

▶ **École anglaise en primaire ?**

Pour le primaire, le problème est délicat. L'apprentissage du français à l'écrit est en soit difficile pour un enfant de six ans. Certains enseignants déconseillent la scolarisation d'un enfant de cet âge dans le système anglais pour les familles retournant en France l'année suivante. Sauf si les parents jouent un rôle de répétiteurs avec l'aide du Centre national d'enseignement à distance (Cned) et qu'il parvienne à suivre cette double scolarisation. Si l'enfant est placé dans le système anglais pour quelques années avant un retour dans un pays francophone, il est donc recommandé de recourir au Cned chaque année. Avant de faire son choix, il est également important d'évaluer le niveau scolaire de l'enfant. Progresse-t-il normalement, est-il attiré par les langues ? Un élève qui présente des difficultés souffrira d'un handicap supplémentaire s'il doit en plus combler des lacunes en français parce qu'il n'en n'aura pas étudié les bases.

▶ **Le système anglais**

À Londres comme dans le reste de l'Angleterre, l'école est obligatoire pour les 5-17 ans (jusqu'à 18 ans à partir de 2015), mais de nombreux enfants débutent leur scolarité à quatre ans. Il existe évidemment des nuances de programmes avec le système français, mais la vraie différence réside dans l'évaluation des élèves. Pour aller vite, là où les Français sanctionnent la faute, les Anglais récompensent la performance. Très tôt, l'accent est mis sur le

Système français ou école anglaise ?

De nombreux expatriés hésitent beaucoup entre ces deux options. C'est normal, la question est épineuse. Les familles projetant de revenir rapidement dans leur pays d'origine optent souvent pour le système français par crainte que l'enfant ne soit perturbé. Si ces angoisses peuvent se justifier à partir de l'apprentissage de la lecture puis dans le secondaire, elles ne tiennent pas pour les classes maternelles. Au contraire. Les jeunes enfants, en totale immersion, sont rapidement bilingues et leur passage dans le système anglais devrait logiquement leur bénéficier. Certes, s'ils ne parlent pas un mot d'anglais, les débuts peuvent être ardus mais les parents d'élèves ayant fait ce choix ne sont généralement pas déçus. Londres est une ville cosmopolite où les enseignants anglais se montrent très compréhensifs et la phase d'adaptation, parfois pénible, est rapidement oubliée.

développement personnel et l'expérimentation plutôt que sur les résultats, la théorie ou les bonnes notes. Au primaire, les enfants sont donc regroupés par tranches d'âge et passent automatiquement dans la classe supérieure en fin d'année, qu'ils aient atteint ou non le niveau de connaissances attendu. La compétition ne se développe que plus tard, au moment de l'entrée dans le secondaire, avec des examens d'entrée à réussir impérativement pour obtenir une place dans les meilleurs établissements.

▶ De la nursery class au year 13

L'école est obligatoire à partir du premier trimestre suivant le cinquième anniversaire, mais divers établissements permettent de commencer plus tôt, dans les nursery classes (trois ans) et les reception classes (quatre ans), que l'on trouve de plus en plus souvent dans les primary schools. Alors que les nursery classes proposent un emploi du temps allégé, le rythme des reception classes est calqué sur

Le calendrier scolaire

L'année comprend trois trimestres coupés toutes les six semaines par des vacances, les « half term holidays », moins longues que dans le système français. Leur durée peut varier en fonction des établissements. L'année scolaire débute en septembre et s'achève à la fin juillet. Il est donc recommandé aux familles nombreuses d'expatriés de mettre tous leurs enfants dans le même système pour éviter de devoir jongler avec les calendriers français et anglais.

celui du primaire, avec des journées s'étalant de 9 h à 15 h 30. Dans les écoles publiques, on compte en moyenne une trentaine d'enfants par classe, au primaire comme au secondaire. Jusqu'au passage du GCSE (l'équivalent du brevet des collèges), à 16 ans, le cursus est divisé en quatre phases clés, *key stages,* allant des years 1 à 13. Le premier de ces cycles va de cinq à sept ans ; le deuxième, de huit à dix ans ; le troisième, qui correspond au début du secondaire, de 11 à 13 ans ; le quatrième, de 14 à 16 ans. Le redoublement n'existant pas, les enfants qui perdent pied doivent se raccrocher aux cours de soutien scolaire.

❝ *Nous sommes installés à Ealing depuis deux ans avec nos filles de 8 et 6 ans. Nous ne pouvions payer une scolarité dans le système français : nous avons opté pour l'école publique anglaise. Les instituteurs sont compréhensifs ; elles ont bénéficié de cours de langue supplémentaires en petits groupes. Au bout de trois mois, l'aînée comprenait tout ; après six mois, elle s'exprimait bien ; à la fin de l'année, elle était bilingue. Elle me reprend sur mon accent et veut devenir institutrice ici ! Je ne regrette pas notre décision une seconde. Le système anglais est très orienté sur la confiance faite aux enfants et sur le travail en équipe. Le revers de la médaille, c'est que l'on insiste moins sur la rigueur. On les félicite toujours alors qu'une maîtresse française demanderait peut-être un effort d'écriture ou de présentation.* ❞

Delphine, 34 ans, traductrice free lance

▶ Un système public performant

Les écoles publiques londonniennes, totalement gratuites, n'ont pas très bonne réputation et la plupart des familles issues de milieux aisés préfèrent inscrire leurs enfants dans le privé. Ne vous fiez pas à ces préjugés : une étude approfondie réalisée par le *Financial Times* en 2012 a démontré que ces écoles étaient désormais les meilleures d'Angleterre pour ce qui est de l'enseignement public. En étudiant les résultats au GCSE de plus de trois millions d'élèves au cours des six dernières années, le journal a démontré que des enfants fréquentent les établissements publics de certains des quartiers les plus pauvres de Londres avaient obtenu parmi les meilleures notes. La séparation entre l'Église et l'État n'existant pas en Angleterre, les écoles primaires publiques peuvent être religieuses ou laïques. Les établissements du secondaire ne sont pas tous mixtes et accueillent les

enfants de 11 à 16 ans, la plupart du temps sans tenir compte de critères académiques. Dans les meilleures écoles, les grammar schools, ils passeront un examen d'entrée particulièrement exigeant, le 11-plus.

▶ Le National Curriculum

Tous les établissements publics doivent suivre un programme national d'enseignement, le National Curriculum. Les écoles et les professeurs disposent évidemment d'une certaine latitude dans l'application des programmes, pouvant par exemple choisir la période de l'histoire d'Angleterre qu'ils vont traiter. Le National Curriculum fixe des objectifs en matière de résultats à la fin de chaque key stage. Parmi les matières obligatoires, on retrouve notamment l'anglais, les mathématiques, les sciences, le design et la technologie, l'histoire et la géographie, le sport, l'art visuel et la musique.

▶ Les établissements publics

Il en existe de toutes sortes. Les community schools (comprehensive schools dans le secondaire) sont gérées par les autorités locales et disposent d'un budget déterminé par des critères tels l'environnement social du quartier ou le nombre d'élèves n'ayant

GSCE et A-Levels

C'est à 16 ans que les élèves passent leur GCSE, qui comprend trois matières phares (anglais, mathématiques, sciences) et plusieurs options. Après 16 ans, les adolescents peuvent prendre la voie de l'enseignement professionnel ou poursuivre leurs études générales dans les 6th form ou further education colleges, où ils prépareront le A-Level, l'équivalent du baccalauréat, pour ensuite se diriger vers l'université. Pour les A-Levels, chaque élève choisit trois ou quatre disciplines, généralement celles qu'il a l'intention d'étudier dans le supérieur, et obtient des notes allant d'A à E.

pas l'anglais comme langue maternelle. La plupart des voluntary-aided schools sont confessionnelles ou liées à des organisations à but non lucratif. Les établissements confessionnels suivent le programme national tout en offrant une éducation religieuse. Pour y entrer, il vous faudra peut-être produire un certificat de baptême ou une lettre d'un imam. Il existe aussi des écoles spécialisées pour les enfants handicapés ou en grande difficulté d'apprentissage, mais de nombreux établissements classiques sont également préparés pour accueillir ces élèves. Les boarding schools publiques sont des pensionnats. L'enseignement y est gratuit, mais les parents doivent prendre en charge les frais d'hébergement. Leurs équivalents privés sont très réputés, mais inaccessibles pour le commun des mortels. Dans le secondaire, quelques grammar schools accueillent les meilleurs élèves sur examen à partir de 11 ans. Les comprehensive schools se chargent des autres.

▶ Un système privé hors de prix

Attention aux confusions malheureuses : les public schools sont les établissements privés parmi les plus prestigieux, et donc extrêmement onéreux. Le système privé anglais est particulièrement bien développé et ce dès la crèche. Les pre-preparatory schools accueillent ensuite les enfants à partir de quatre ans avant leur entrée dans une pre-

L'éducation, un marché

« En France, nous avons un système public ultradominant et globalement de bonne qualité. Il n'y a pas d'écarts importants entre les établissements. À l'inverse, en Grande-Bretagne, de très grandes écoles privées vous garantissent à 100 % l'entrée à Oxford ou Cambridge et, à côté de cela, certains établissements sont en échec complet. C'est peu le cas dans l'Hexagone. L'obsession consistant à trouver la bonne école dès le primaire, partagée par tous les Britanniques, est liée au fait que le système scolaire est compétitif et que l'éducation constitue un véritable marché. En France, cette idée fixe ne se développe qu'après le bac. »

Laurent Batut, directeur-adjoint de l'Institut français, attaché de coopération éducative à l'ambassade de France.

paratory school où ils resteront jusqu'à 11 ou 13 ans. Les élèves poursuivent ensuite leur scolarité jusqu'à leurs 18 ans dans les senior schools. En moyenne en Grande-Bretagne, une année de scolarité dans le privé coûte 11 500 £, un tarif qui contribue à accentuer la ségrégation sociale dans ces établissements élitistes. Certaines écoles privées de Londres offrent cependant des bourses aux enfants ayant obtenu d'excellents résultats aux examens d'entrée mais qui n'ont pas les moyens financiers adéquats.

▶ Trouver une bonne école anglaise

Un bon conseil : préoccupez-vous de cette question très en amont, au moins un an avant l'entrée en classe de votre enfant. Si vous souhaitez l'inscrire dans une école publique, adressez-vous aux autorités du borough dont vous dépendez

pour connaître la liste des établissements proches de chez vous. Prenez contact avec les écoles que vous ciblez et demandez à les visiter puis mentionnez au moins trois choix dans votre dossier de candidature. Un établissement vous sera ensuite attribué, même si vos vœux ne sont pas exaucés. Vous pouvez faire appel de la décision. Vu la grande disparité de niveaux entre les écoles, renseignez-vous sur les résultats obtenus les années précédentes sur le site du Departement of Education et consultez les rapports d'inspection de l'Ofsted. Les établissements sont inspectés au moins tous les trois ans. Si vous optez pour le privé, vous pourrez inscrire votre enfant dans n'importe quelle école de la ville si vous en avez les moyens. Mais là encore, commencez vos recherches très tôt car leurs listes d'attente sont parfois longues de plusieurs années.

▶ Les transports scolaires

La plupart des élèves du public vont dans les écoles de leur quartier. Pour les itinéraires plus longs, le bus est gratuit à Londres pour les moins de 16 ans ; le métro, pour les moins de 11 ans. Rares sont les enfants qui se rendent seuls à l'école avant le secondaire.

▶ Le système français

Pour beaucoup de familles expatriées de passage à Londres pour quelques années seulement, le système français constitue la meilleure solution. Il existe de nombreux établissements proposant un enseignement francophone à Londres, mais la demande reste bien supérieure à l'offre. Le système français, s'il est bien moins cher que le privé anglais, a toutefois un coût que toutes les familles ne peuvent pas supporter.

▶ Le lycée Charles-de-Gaulle

Sept établissements sont reconnus par le ministère de l'Éducation nationale à Londres, le plus important d'entre eux étant Charles-de-Gaulle, qui dispose de quatre implantations géographiques. Le site principal, qui compte près de 3 000 élèves, est dans le quartier de South Kensington et accueille des enfants de la moyenne section de maternelle jusqu'à la terminale. Trois primaires y sont annexées : Wix, dans le quartier de Clapham ; Marie-d'Orliac, à Fulham ; André-Malraux, à Ealing. La liste des écoles homologuées tricolores est disponible sur le site Internet de l'Institut français de Londres. Et c'est en cliquant sur le nom de chaque établissement que vous obtiendrez tous les renseignements pratiques concernant son fonctionnement.

▶ Des écoles non conventionnées

Il existe à Londres deux établissements conventionnés avec l'Agence pour l'enseignement français à l'étranger (AEFE) : le Collège français bilingue de Londres (CFBL), ouvert dans le nord de la ville depuis septembre 2011, qui propose un cursus de la grande section de maternelle à la troisième, et l'école primaire Jacques-Prévert, à Hammersmith. Quatre autres établissements de tailles diverses, seulement partenaires de l'AEFE, sont aussi implantés à Londres : Le Hérisson (maternelle) ; L'École des Petits et son annexe L'École de Battersea (primaire) ; L'École Bilingue (primaire) ; La Petite École Française (maternelle et CP). D'autres établissements non homologués, dont la liste est consultable sur le site de l'Institut français, dispensent aussi un enseignement en français.

▶ Nouvel établissement français en 2015

Toutes écoles confondues, 5 560 élèves étaient inscrits dans le système français en 2012, avec 300 à 400 élèves restés sur le carreau, pour la plupart en primaire. Beaucoup de Français ayant choisi de s'installer à Londres définitivement, le turnover fonctionne peu et les nouveaux expatriés ont souvent du mal à inscrire leur enfant dans le système français. Pour répondre au problème, les autorités tricolores ont décidé d'ouvrir un nouvel établissement à la rentrée 2015 dans le quartier de Brent, dans le nord-ouest de la ville, à proximité de Wembley. *« Nous avons 16 classes de CM2, pour seulement 10 de seconde,*

Le port de l'uniforme

Dans la plupart des écoles anglaises, on porte un uniforme, dont le modèle est défini librement par chaque établissement. Ses défenseurs affirment qu'il permet de gommer les différences sociales. C'est vrai au sein de l'école, mais l'argument ne tient pas dans la rue, quand les élèves des établissements privés les plus chers, vêtus d'élégants costumes de flanelle, croisent leurs homologues des écoles publiques aux tenues bien plus « cheap ».

explique Laurent Batut, qui coordonne le Plan École. *Comme la population s'est stabilisée, ces enfants vont arriver un jour ou l'autre en seconde. Si on n'ouvre pas cet établissement, il y aura 250 élèves que nous ne pourrons pas scolariser au niveau du secondaire à partir de 2015.* »

▶ L'admission dans le système français

Chaque école est libre de sa politique d'admission. Seule obligation légale : les critères doivent être publics et annoncés sur le site Internet des établissements. Certaines écoles, les plus petites, ont des listes d'attente et le principe est simple : premier arrivé, premier servi. Pour les établissements comme le lycée français Charles-de-Gaulle et le CFBL, le premier critère est celui du regroupement des fratries. Si l'un des enfants de la famille y est déjà scolarisé, les frères

et sœurs auront priorité. Le deuxième critère favorisera les enfants déjà inscrits dans le réseau mondial de l'AEFE. Il s'agit des élèves dont les parents effectuent leur carrière à l'étranger. Les enfants arrivant de France seront ensuite privilégiés devant ceux issus du système britannique. Enfin, aucun critère de nationalité n'entre en compte, conformément à la loi britannique, ce qui n'empêche pas que 80 % des élèves soient de nationalité française.

▶ Le coût du système hexagonal

Si la scolarité dans un établissement français peut s'avérer onéreuse, les tarifs des établissements homologués demeurent nettement inférieurs à ceux pratiqués dans le privé anglais. À titre comparatif, une année dans le système français coûtera au maximum 7 000 ₤ par an ; le lycée Charles-de-Gaulle

entre 5 500 et 6 000 ₤ ; une très bonne école anglaise de 15 000 à 20 000 ₤.

▶ Les bourses scolaires

L'Hexagone attribue des aides financières aux élèves de nationalité françaises sur des critères de ressources. Les parents doivent déposer un dossier au consulat de France. Ces bourses peuvent financer jusqu'à 100 % de la scolarité.

▶ Allier français et anglais

Les familles expatriées pour longtemps ou définitivement ne devraient pas avoir peur d'inscrire leur enfant dans le système anglais, différent mais tout aussi performant que le français. Certes, le manque d'homogénéité impose de sélectionner méticuleusement le bon établissement, en portant une attention particulière à l'enseignement des langues vivantes. Les autorités françaises, de concert avec leurs homologues britanniques, essaient également de développer les sections bilingues. Une bonne solution consiste notamment à allier scolarité anglaise classique et enseignement du Cned. Dernière possibilité : suivre une scolarité exclusivement par le biais du Cned. Cette formule demande un investissement total de la part des parents et les enfants ne sont pas socialisés.

▶ Les Écoles du samedi

Par le biais du Plan Écoles, le gouvernement français soutient également les associations de parents ayant créé les Écoles du samedi, où les enfants inscrits dans le système anglais peuvent développer leur apprentissage du français. Vous trouverez leur liste sur l'excellent site consacré à l'éducation, Avenue des Écoles.

Infos pratiques

▶ **Les établissements publics**
schoolsfinder.direct.gov.uk

▶ **Les écoles privées**
www.goodschoolsguide.co.uk
www.feeassistancelondonschools
.org.uk

▶ **Les résultats des divers établissements**
www.gov.uk/browse/education
/school-admissions-transport
www.education.gov.uk/schools
/performance
www.ofsted.gov.uk/schools
/for-parents-and-carers
/find-school-inspection-report

▶ **Les écoles françaises homologuées**
www.institut-francais.org.uk
/francais/scolarite-francaise

▶ **Les bourses scolaires**

ambafrance-uk.org
(saisir « bourses scolaires »
dans le champ de recherche)

▶ **Tout savoir sur tous les parcours scolaires à Londres**
www.avenuedesecoles.com

Frais de scolarité du lycée français
Année scolaire 2013-2014

Droits de scolarité par trimestre

Classes maternelles	1 966 £
Classes élémentaires	1 507 £
Classes maternelles bilingues	2 263 £
classes élémentaires bilingues	1 839 £
Classes secondaires	1 839 £
Section britannique	3 155 £
Hors Grande-Bretagne	3 597 £

Frais de demi-pension par trimestre

Classes primaires de South Kensington	280 £
Classes de l'école de Wix	205 £
Classes de l'école André-Malraux	225 £
Classes de l'école de Marie-d'Orliac	270 £
Classes secondaires de South Kensington	280 £

Droits de première inscription par élève (non remboursable)	**650 £**

Source : lycée français Charles-de-Gaulle

Étudier, travailler et entreprendre à Londres

Étudier à Londres

La London School
of Economics
est l'un des meilleurs
établissements
de Londres…
et du monde.

▶ Établissements d'excellence

Le système d'enseignement supérieur britannique est considéré comme l'un des meilleurs du monde, avec pour fers de lance les prestigieuses universités d'Oxford et de Cambridge. Londres, qui accueille la plus grande partie de la population étudiante du pays avec environ 400 000 inscrits dans plus de 40 établissements, n'est pas en reste et offre des formations dans des institutions telles que le University College London, l'Imperial College ou la London School of Economics. Au total, cinq des 24 universités réunies au sein du Russel Group, une association regroupant les meilleurs établissements britanniques, sont ainsi basées à Londres. Et les universités d'élite de la ville figurent régulièrement en bonne position dans le classement mondial de référence publié chaque année par le *Times Higher Education*.

▶ Universités et « colleges »

Contrairement à ce qu'il se passe en France, où les meilleurs élèves se dirigent vers les classes préparatoires aux grandes écoles après le bac, le système britannique est basé sur l'excellence de ses établissements. Les universités regroupent en leur sein des « colleges » spécialisés dans diverses matières qui correspondent aux facultés françaises. Au London University College, on pourra ainsi étudier le droit, l'architecture, l'histoire de l'art, la médecine.

▶ Étudiants étrangers

Les jeunes arrivant d'un pays étranger doivent aussi déposer leur candidature sur le site de l'Ucas. Ils peuvent contacter le National Academic Recognition Information Centre (Naric) afin de faire officiellement reconnaître leurs diplômes en Grande-Bretagne. Il est fortement recommandé de se rapprocher du UK Council for International Students Affairs (UKCisa) et du British Council, qui possède plus de 250 bureaux dans le monde.

▶ Frais de scolarité en hausse

Jusqu'à 2012, les droits de scolarité pour le premier cycle étaient relativement bon marché compte tenu de la qualité de l'enseignement. Les étudiants considérés comme « home students », c'est-à-dire les Britanniques et ceux originaires des pays de l'UE et de Suisse, ne pouvaient pas payer plus de 3 225 $ par an pour une formation undergraduate. Mais la réforme impopulaire adoptée dans le cadre de la restructuration du supérieur par le gouvernement de David Cameron a changé la donne, mettant à mal un système des plus démocratiques. Les établissements peuvent désormais demander jusqu'à 9 000 $ de frais de scolarité pour les inscriptions en premier

cycle (les droits en master et doctorat ne sont pas établis au niveau national), et la moyenne dans les facultés anglaises s'établissait à 8 414 $ en 2012. Les étudiants non ressortissants de l'UE acquitteront des frais de scolarité plus élevés, de l'ordre de 11 000 $ par an dans les universités de Londres.

Undergraduates et postgraduates

L e premier cycle des études universitaires, « undergraduate studies », se déroule sur trois ou quatre ans et débouche sur des qualifications telles le Bachelor of Arts ou le Bachelor of Science. Une fois ce diplôme en poche, les étudiants peuvent poursuivre dans les deuxième et troisième cycles, « postgraduate studies », pendant une ou plusieurs années afin de se spécialiser en « masters » puis de se lancer dans la recherche et faire un « PhD ». Il est aussi possible de suivre des formations en un ou deux ans de type BTS dans des domaines comme le commerce ou le tourisme pour obtenir un Higher National Diploma ou Higher National Certificate.

Soirées étudiantes

L es étudiants en quête de divertissements peuvent se tourner vers les « students' unions » des diverses facs de la ville. Ces associations défendent les droits de leurs membres tout en animant la vie des campus en mettant sur pied des soirées et des concerts aux têtes d'affiche célèbres dans les locaux de l'université. Parmi les plus connues on trouve celles de la LSE, du King's College et de l'Imperial College. De nombreuses boîtes de nuit proposent tarifs réduits ou même entrées gratuites pour les jeunes détenteurs d'une carte d'étudiant. Pour les non-initiés, méfiez-vous du binge drinking, ces soirées où on enchaîne les verres jusqu'au bout de la nuit et à toute vitesse. C'est un cliché, mais les Anglais(es) ont une sacrée descente, préparez-vous donc à des lendemains difficiles.

▶ **Les prêts du gouvernement**

Pour aider les jeunes à faire face aux frais de scolarité, le gouvernement a mis en place un système de prêts couvrant la totalité des coûts. Vous ne rembourserez qu'une fois votre diplôme obtenu et si vous gagnez plus de 21 000 £ par an.

▶ **Diverses réductions sont possibles**

En plus des frais de scolarité, il faut compter les dépenses de la vie quotidienne

(logement, transport, nourriture, etc.), qui peuvent peser lourdement. L'Agence britannique de contrôle des frontières ne délivre pas de visas aux étudiants étrangers qui ne disposent pas d'un budget mensuel de 1 000 £ pour subvenir à leurs besoins en arrivant à Londres. Des prêts du gouvernement pouvant atteindre 7 675 £ par an, réservés aux « UK students », sont possibles pour couvrir ces dépenses. Le statut d'étudiant offre heureusement de nombreuses

réductions notamment sur les coûts de transport, loisirs et restauration grâce à la carte Isic ou à celles proposées par les syndicats estudiantins.

▶ **Des logements réservés aux étudiants**

La plupart des universités londoniennes proposent des logements à leurs étudiants dans leurs « halls of residence », mais les places sont rares. Une autre solution consiste à trouver une chambre dans une colocation ou dans une famille d'accueil. En tout cas, prévoyez entre 100 et 200 £ par semaine pour vous loger.

▶ Obtenir une place en fac

Les undergraduates doivent déposer leurs candidatures sur le site de l'Ucas (Universities and Colleges Admissions Services). Contre la somme de 23 £, il est possible de postuler pour différentes universités et plusieurs diplômes. Il ne sert à rien de demander des places dans les établissements exigeant des notes trop hautes pour vous. Ciblez bien. Les dossiers doivent être déposés avant les 15 octobre, 15 janvier ou 24 mars en fonction des facultés et des enseignements choisis. Les candidatures se font donc avant les résultats des A-Levels et les futurs étudiants doivent fournir avec leur dossier des évaluations de leurs professeurs ainsi que des prédictions de leurs notes finales. La lettre de motivation, *personal statement,* joue aussi un rôle

crucial. Les universités ont jusqu'à mai pour donner leur réponse ou vous proposer un entretien. Si par bonheur vous avez obtenu de meilleurs résultats que prévu, vous pourrez demander à l'Ucas de lancer une procédure d'« adjustment » afin de postuler pour une autre formation ou un établissement mieux coté.

▶ Continuer en postgraduate

Les étudiants titulaires d'un diplôme du premier cycle souhaitant poursuivre leurs études doivent contacter directement les universités pour s'inscrire ou postuler sur le site du UK Postgraduate Application and Statistical Service (UKPass), qui centralise les demandes pour quelques facultés.

▶ Année sabbatique

Après le A-Level, les jeunes Anglais s'accordent fréquemment une année sabbatique, *gap year,* avant de continuer leurs études. Ils utilisent ce temps pour vivre une première expé-

rience professionnelle, se lancer dans le bénévolat ou voyager. Certains préfèrent attendre la fin de leur cursus universitaire pour leur année sabbatique, qui est considérée ici comme une excellente opportunité pour développer maturité et indépendance d'esprit.

Infos pratiques

▶ **Le classement mondial des universités du** *Times Higher Education*
tinyurl.com/kzheclz

▶ **Les universités de Londres**
ww.studylondon.ac.uk /universities

▶ **Les aides financières**
www.studentfinance.direct .gov.uk
www.studentcalculator .org.uk
www.gov.uk/browse /education/student-finance

▶ **Les prêts gouvernementaux**
www.nus.org.uk/en /nus-extra
www.isic.org

▶ **Le logement étudiant**
www.studenthousing.lon .ac.uk
www.ish.org.uk
www.londonhomestays .com

▶ **Les universités, les formations ainsi que les établissements et diplômes reconnus par le gouvernement**
www.ucas.com
www.bis.gov.uk/policies /higher-education /recognised-uk-degrees

▶ **Les postgraduates**
www.ukpass.ac.uk

▶ **Les étudiants étrangers**
www.ukcisa.org.uk
www.britishcouncil.org
www.ecctis.co.uk/naric /Default.aspx

Travailler à Londres

La City est une véritable fourmilière. La finance concentre près de 250000 emplois à Londres.

▶ Détaché ou expatrié ?

Si vous êtes français et envoyé à Londres par une entreprise établie dans l'Hexagone, vous aurez un statut de détaché ou d'expatrié. En ce qui concerne l'assurance-maladie, les salariés détachés peuvent conserver leur protection sociale française, car l'employeur et le salarié cotisent comme si ce dernier travaillait toujours dans l'Hexagone. Cependant, l'employeur n'a aucune obligation vis-à-vis de la Sécurité sociale pour les expatriés, qui seront affiliés au régime britannique. Afin de conserver sa protection française, l'expatrié doit être inscrit par son employeur à la Caisse des Français de l'étranger (CFE).

▶ Un pays en crise

Au cours des 20 années qui ont précédé la crise financière, Londres s'était transformé en un géant économique mondial rivalisant avec New York, s'enorgueillissant de la prospérité de ses 400 000 entreprises et d'un taux de chômage d'à peine 5%. Mais la crise a fait particulièrement mal au Royaume-Uni et l'économie du pays tourne au ralenti depuis 2008. À l'été 2013, le taux de chômage s'élevait ainsi à 7,7% de la population active (soit 2,49 millions de personnes sans travail) selon l'Office national des statistiques. Environ un million de jeunes âgés de 16 à 24 ans était privé d'emploi. Bref, le chemin menant vers la sortie de crise s'annonce encore

long, même si les JO ont permis de créer plusieurs milliers de postes dans le secteur privé. À Londres même, le taux de chômage est plus élevé que dans le reste du pays (8,7% fin 2012), avec environ 370 000 sans-emploi pour près de 4 millions de travailleurs.

▶ Prévisions encourageantes

Si vous songez vous installer à Londres, ne perdez pas espoir. Le marché de l'emploi reste dynamique et marqué par une forte mobilité. Les salariés étrangers y sont toujours de plus en plus nombreux et aucune autre ville du Royaume-Uni ne peut se targuer de contribuer autant à l'économie britannique. Le Centre for

Economics and Business Research estime ainsi que la croissance de Londres sera supérieure à celle de l'ensemble du pays au cours des cinq prochaines années en raison de sa faible dépendance vis-à-vis du secteur public et de son potentiel pour la création d'emplois.

▶ **Les grands secteurs d'activités**

La prospérité économique de la capitale britannique reste liée au secteur financier. Certes, les postes dans la City continuent de diminuer, tout comme les bonus de fin d'année, mais la finance fait encore travailler environ 250 000 personnes. Selon les chiffres de l'Eures, le portail européen de l'emploi, plus de 54 % de la main-d'œuvre londonienne occupe des fonctions d'encadrement supérieur ou de spécialiste. À côté de la finance, l'immobilier, la location et les services aux entreprises tiennent également une place de choix. La grande distribution, la restauration, l'informatique, l'hôtellerie et la communication ne sont pas en reste tandis que le télétravail ne cesse de croître. Les professeurs, cuisiniers, se-

La vie en entreprise

Travailler à Londres vous demandera un petit effort d'adaptation si vous souhaitez vous intégrer à votre nouvel environnement professionnel. Observez bien vos collègues et imitez leurs façons de faire, mais suivez d'emblée ces quelques conseils pour éviter tout faux pas. Ne faites pas la bise à vos collègues, féminin ou masculin, et abstenez-vous de tout commentaire sur l'apparence physique des gens. Sans aller jusqu'aux accusations de harcèlement, cela risquerait de vous porter préjudice. Les Anglais peuvent être excentriques, mais privilégiez les tenues sobres au travail. Attendez le vendredi, « casual Friday », ou le week-end pour faire preuve de plus d'originalité. Les expatriés se plaignent souvent de ne pas parvenir à lier de vraies relations avec leurs collègues londoniens. Commencez donc par socialiser au pub autour de quelques pintes après le bureau, ça donnera un coup de pouce à votre carrière.

crétaires et informaticiens français sont particulièrement recherchés. Les économistes de la London Greater Authority prévoient des créations de postes dans la construction, les transports et la distribution.

▶ **Des salaires plus élevés à Londres**

Les salaires moyens ont toujours été plus élevés à Londres que dans le reste du pays, notamment en raison du coût élevé de la vie dans la capitale. En 2012, le salaire brut médian à Londres

était ainsi de 653 £ par semaine, contre 506 £ pour le reste de l'Angleterre.

▶ **Maîtrisez la langue**

Si vous espérez décrocher un emploi qualifié, commencez par apprendre l'anglais. L'offre en cours de langue est immense à Londres et les formations sont de bonne qualité. Beaucoup de francophones ont un meilleur niveau écrit qu'oral, multipliez donc les occasions de parler anglais. Les propositions d'échanges de conversation sont nombreuses (comme en témoigne le site Ici Londres) et il est plutôt facile de s'investir auprès d'une organisation caritative où vous pourrez vous immerger dans un milieu anglophone.

Accès libre ou permis de travail ?

Hormis les Bulgares et les Roumains qui, en 2013, devaient encore demander une autorisation, les ressortissants des pays membres de l'Union européenne, de la Suisse et de l'espace économique européen peuvent occuper un emploi à Londres sans permis. Les Canadiens souhaitant travailler en Grande-Bretagne doivent demander une autorisation.

Infos pratiques

▶ **Ici Londres**
www.ici-londres.com

▶ **L'entretien d'embauche**

Il nécessite d'autant plus de préparation qu'il ne s'effectue pas dans votre langue maternelle. N'hésitez pas à faire appel à l'un des nombreux coaches spécialisés dans la préparation des entretiens ou à rejoindre des clubs de recherche d'emploi pour faire vos gammes. *« Renseignez-vous au maximum sur l'entreprise et le poste que vous visez et faites jouer vos réseaux pour essayer de voir si un de vos contacts connaît quelqu'un qui travaille dans cette société et pourra vous parler de sa culture,* souligne Va-lérie Ferrand, la directrice des ressources humaines de Bouygues UK. *N'oubliez pas que l'entretien doit être une relation équilibrée. Vous ne venez pas demander quelque chose, mais proposer des services, des compétences et des qualités. Ne sous-estimez pas la difficulté d'adaptation à un nouvel environnement et n'hésitez pas à postuler à des postes en dessous de votre niveau de qualification. Vous êtes dans un nouveau pays, en dehors de votre zone de confort. L'important est de mettre un pied dans la place. Vous aurez toute latitude pour faire ensuite votre bout* de chemin. *Les entreprises anglaises n'hésitent pas à faire évoluer leurs collaborateurs. »*

▶ **CDI et CDD**

Contrairement au droit social français, le droit du travail britannique n'est pas codifié. Les contrats de travail sont donc particulièrement importants pour définir la relation entre l'employeur et le salarié. Ils peuvent contenir plus de 20 pages détaillant l'ensemble des clauses, par exemple la durée des vacances, celle du temps de travail, les congés maladie ou les conditions d'une éventuelle séparation. Les CDD existent pour des missions ponctuelles, mais la plupart des contrats sont à durée indéterminée, les salariés ne pouvant généralement pas contester leur renvoi au motif d'un licenciement sans cause réelle ni sérieuse pendant les deux premières années de présence dans l'entreprise. Des périodes d'essai de trois à six mois peuvent aussi figurer dans les contrats de travail.

▶ **Durée du temps de travail**

Les Anglais se moquent souvent de la paresse supposée de leurs voisins français et de leurs 35 heures. En Grande-Bretagne, la durée légale est en effet fixée à 48 heures par semaine et les salariés peuvent demander à travailler davantage. Dans les faits, on y passe qu'un peu plus de 33 heures par semaine en moyenne à Londres selon les chiffres

Le curriculum vitæ à l'anglaise

Ne négligez pas cette étape, elle est primordiale. Les recruteurs passant en moyenne six secondes sur chaque candidature, soignez absolument la mise en page et soyez synthétique. Commencez par adapter systématiquement votre CV en fonction du poste pour lequel vous postulez. Les Anglais sont pragmatiques, expliquez donc systématiquement tout ce que vous avez fait au cours de votre carrière. Essayez d'être le plus clair et le plus factuel possible sans dépasser deux pages. Crainte de discrimination oblige, ne donnez pas d'informations personnelles (photo, situation maritale, etc.). La partie « profile », dans laquelle vous devez valoriser vos compétences, donner les grands traits de votre personnalité et définir vos compétences en décrivant votre projet professionnel, est essentielle. Surtout parlez de vous en démontrant de quelle manière vous serez utile à l'entreprise et évitez les généralités si vous voulez attirer l'attention. Ne vous attardez pas non plus sur vos hobbies (ne faites pas de liste) à moins qu'ils illustrent réellement une qualité sur laquelle vous voulez insister. Enfin, ne mentez jamais dans votre CV si vous ne voulez pas avoir de mauvaise surprise lors de l'entretien.

de la Labour Force Survey. La journée type de bureau commence à 9 h et s'achève vers 17 h 30. Mais les inégalités en la matière sont fortes et la culture des long hours persiste, avec environ un quart de la population salariée de la capitale travaillant plus de 45 heures par semaine.

▶ Congés payés, maladie, retraites

L'employeur doit donner 28 jours de congés payés aux salariés travaillant à plein-temps cinq jours par semaine. La durée des congés peut être discutée avec l'employeur, qui est libre de l'étendre contractuellement. La durée maximale des congés maladie payés, *statutory sick pay,* est de 28 semaines. À compter du quatrième jour d'absence, le salarié malade reçoit une allocation hebdomadaire dont le montant en 2012 était de 85,85 £. L'entreprise peut proposer un complément de salaire plus généreux que le minimum légal, le *company sick pay.* Le régime des retraites public donnant le strict minimum (au plus 107,45 £ par semaine), il est essentiel de souscrire à un système privé de retraites complémentaires auquel l'employeur pourra contribuer.

▶ L'allocation pour recherche d'emploi

Destinée aux chômeurs, elle variait de 56,25 à 111,45 £ par semaine en

Les réseaux

Humains ou sociaux, utilisez-les à fond, ils sont très importants pour obtenir un emploi en Grande-Bretagne. *« Une page LinkedIn est essentielle pour être repéré par les recruteurs qui, dès qu'ils ont trouvé le bon candidat, vont aller dessus pour vérifier,* explique Véronique Revington, chargée du recrutement à la chambre de commerce française de Grande-Bretagne. *Créez-vous un profil LinkedIn clair et pro. Inscrivez-vous aux nombreux groupes présents sur le site, vous vous sentirez moins seul. Faites appel aux réseaux d'anciennes écoles ou de professionnels de votre secteur qui seront ravis de vous parler de leur expérience. Le réseau, c'est aussi le cabinet de conseil en recrutement. Nous avons notre service à la chambre de commerce, mais il y a également d'autres cabinets bilingues de grande qualité à Londres dont vous trouverez la liste sur le site de la chambre de commerce. Ils pourront vous aider et vous accompagner. Il existe aussi de nombreux cabinets britanniques spécialisés qui seront très utiles. Je recommande enfin le site du journal* The Guardian, *efficace pour la recherche d'emploi, et un excellent site pour le travail à temps partiel destiné aux femmes,* Women Like Us. *On y trouve beaucoup d'offres. »*

2012. Pour en bénéficier, il faut en règle générale être âgé de plus de 18 ans et être disponible sur le marché de l'emploi. La demande s'effectue auprès de Jobcentre Plus, un service chargé d'aider les personnes à trouver du

travail et les employeurs à recruter. Lors de vos démarches auprès de Jobcentre Plus, vous pourrez en même temps demander le « housing benefit », qui vous aidera à payer votre loyer si vos revenus sont trop faibles.

Infos pratiques

▶ **Protection sociale**
vosdroits.service-public.fr
(rubrique « Professionnels » puis « Ressources humaines »)
www.cfe.fr

▶ **Chambre de commerce française de Grande-Bretagne**
www.ccfgb.co.uk

Premiers emplois et jobs d'appoint

▶ Chômage des jeunes

Le taux de chômage des jeunes n'a jamais été aussi haut à Londres depuis au moins deux décennies, avec environ 25 % des 16-24 ans actuellement sans emploi selon le London's Poverty Profile, qui recense des informations sur la pauvreté et les inégalités économiques dans la capitale. Pour autant, même sans diplôme, on arrive à décrocher un petit boulot à Londres, à condition de ne pas être regardant sur les conditions d'embauche.

▶ Trouver un job

De nombreux jeunes francophones débarquent chaque jour à Londres avec leur seul sac à dos et un anglais souvent balbutiant. Il leur est vivement conseillé de prendre contact avec le centre Charles-Péguy. Cette association à but non lucratif a récemment signé une convention avec six entreprises hexagonales majeures qui doit permettre à 1 000 jeunes Français de trouver un emploi en Grande-Bretagne chaque année dans de nombreux secteurs, majoritairement dans

l'hôtellerie, la restauration et la vente. Elle dispense également de précieux conseils sur le licenciement, les contrats, le National Insurance Number, etc. Pour ceux qui préparent leur séjour en amont, le Centre d'échanges internationaux (CEI) est utile. Installé à Londres depuis plus d'une vingtaine d'années, il propose des jobs, des stages, des solutions d'hébergement et des formations en anglais. Un conseil : achetez une carte Sim dès votre arrivée afin d'avoir un numéro de téléphone local où les em-

ployeurs pourront vous joindre facilement.

▶ Salaire minimal

Il n'existe pas ici de salaire minimal mensuel mais un salaire horaire qui dépend de l'âge de l'employé. Son montant est révisé chaque année. En 2013, il était de 2,68 £ pour les apprentis de moins de 19 ans, de 3,72 £ pour les moins de 18 ans, de 5,03 £ pour les 18-20 ans, de 6,31 £ pour les 21 ans et plus. Les dirigeants d'entreprise sont libres d'appliquer un taux horaire plus élevé, le « living wage ». Calculé en fonction du coût de la vie dans le pays, il est fixé à 7,45 £. À Londres, les autorités locales ont également introduit un salaire minimal recommandé plus élevé, dont plus de 11 000 personnes ont bénéficié. Son montant était de 8,55 £ début 2013.

▶ Contrats de travail et Nin

Pour travailler, vous devez disposer d'un National Insurance Number que vous fournirez à votre employeur. Dès lors que vous êtes employé et gagnez plus de 107 £ par semaine, il prouve que vous payez vos taxes obligatoires. Chaque employé peut exiger un contrat de travail après 13 semaines dans une entreprise. L'employeur vous remettra un « written statement » précisant les conditions de votre poste (date d'embauche, horaires, salaire, durée de la période d'essai, congés, etc.). Ce document est indispensable pour prouver votre statut lors de vos démarches administratives.

▶ Les sources d'information

Pour dégoter un job, ne vous cantonnez pas aux employeurs francophones. Consultez les annonces sur Internet et dans la presse quotidienne nationale, envoyez le maximum de CV et téléphonez aux employeurs éventuels. À Londres, les agences de consultants en recrutement sont légion et seront ravies de prendre votre destinée professionnelle en mains si vous avez une compétence particulièrement intéressante à offrir. Rapprochez-vous également du « job centre » de votre quartier. Enfin, le gouvernement a lancé un service baptisé Jobcentre Plus pour aider les chômeurs à trouver un emploi.

▶ Les conjoints

La chambre de commerce française de Grande-Bretagne propose depuis 2012 un service destiné aux conjoints d'expatriés souhaitant continuer à exercer une activité professionnelle par le biais de la Spouse Mission. La chambre de commerce les met en relation avec les employeurs en quête de candidats flexibles attirés par des postes à temps partiel, de télétravail ou des missions ponctuelles.

Trouver un boulot en deux heures !

« Les délais pour décrocher un premier travail dépendent beaucoup de la personnalité du postulant et des périodes de l'année. Fin août, on peut trouver un boulot en deux heures. 70 % des offres concernent l'hôtellerie et la restauration. Viennent ensuite la vente, l'administratif et les jobs plus manuels. Le marché du travail est beaucoup plus flexible ici qu'en France. Certes, il existe des délais de préavis mais dans la restauration il est fréquent, pendant les périodes d'essai, que tout s'arrête du jour au lendemain. Mon premier conseil aux jeunes serait de faire preuve d'humilité et de travailler leur poignée de main. Le diplôme ne fait pas tout ici et l'entretien est déterminant. »
Marine Deneux, directrice du centre Charles-Péguy

Ils entreprennent à Londres

Le gouvernement britannique a mis en place une politique active afin de séduire les entrepreneurs de tous horizons.

▶ L'appel d'Albion

Après un baccalauréat informatique, Olivier Cadic s'est d'abord illustré pendant quelques mois comme opérateur de saisie en dessin assisté par ordinateur, participant notamment au dessin de la tête du missile Exocet. Mais, à 20 ans seulement, il décide dans la foulée de monter sa propre société avec ses économies, et la transforme rapidement en une entreprise florissante sur le marché de l'informatique et des technologies. « Mais le monde a été bouleversé le 1ᵉʳ janvier 1993 quand les frontières du marché unique se sont ouvertes, explique-t-il. C'était la fin des marchés protégés, sur lesquels on pouvait faire des marges pour financer notre recherche et développement. Ç'a été ravageur pour l'électronique européenne. En 1996, je me suis rendu compte par hasard du faible poids des charges sociales en Angleterre. Elles étaient de l'ordre de 10 % ici, contre environ 48 % en France, et pour moi ça changeait tout. »

▶ 14% de charges patronales

Olivier Cadic transfère donc le siège social de sa société à Ashford et fonde une association d'entrepreneurs : la France libre d'entreprendre. Après avoir cédé ses activités dans l'électronique en 2003, il crée Cinebook, qui promeut la bande dessinée franco-belge sur le marché anglophone. Il se targue aujourd'hui d'avoir publié trois fois plus d'albums de Lucky Luke en anglais en cinq ans que ses prédécesseurs en l'espace de 50 ans. Également élu à l'Assemblée des Français de l'étranger pour le Royaume-Uni, Olivier Cadic n'envisage pas une seconde de revenir dans l'Hexagone. « *Les problématiques sont toujours les mêmes. On est à peine à 14% sur les charges patronales ici. Pour nous entrepreneurs français, la Grande-Bretagne est un paradis.* »

▶ Séduire les entrepreneurs

Le gouvernement britannique met en effet tout en œuvre pour encourager la création de nouvelles sociétés. Certes, la Grande-Bretagne n'a rien d'un paradis fiscal, mais pas question ici d'envisager un taux de 75% pour la tranche supérieure de l'impôt sur le revenu. En 2012, chaque résident britannique dont le salaire annuel était situé entre 8 105 et 42 475 £ était ainsi imposé à 20% (40% jusqu'à 158 105 £ et 50% au-delà ; ce dernier pourcentage a été abaissé à 45% en avril 2013). Le gouvernement continue également de réduire le taux d'imposition sur les bénéfices des entreprises, qui est

Des formalités simplifiées

« Ça a été hypersimple de monter notre entreprise. Nous avons rempli un formulaire, on l'a renvoyé avec un chèque d'environ 30 £, et The Kalory Agency était créée. Tout est fait pour aider ceux qui se lancent : le site du gouvernement – une mine d'informations – ou les services du fisc qui répondent toujours et de manière précise à toutes tes questions. La British Library est également dotée d'un business centre destiné aux entrepreneurs, qui peuvent y rencontrer des experts chargés de les conseiller dans leurs démarches. Leur programme Innovating For Growth, taillé pour les sociétés qui ont plus d'un an d'existence, est remarquable, poursuit Franck Jehanne. Ça te met en relation avec des consultants externes en fonction de tes besoins et ils organisent des workshops avec d'autres entrepreneurs. Ça nous a donné la petite tape réconfortante sur l'épaule et le coup de booster nécessaire pour nous lancer. »

passé à 23% en avril 2013 (il est prévu qu'il soit de 21% en 2014). Pour les sociétés réalisant moins de 300 000 £ de bénéfices, il est de 20%.

▶ Une atmosphère positive

Hormis les avantages fiscaux, Olivier Cadic apprécie énormément l'atmosphère positive entourant le monde de l'entreprise. « *Ici, un entrepreneur, c'est un héros. En France, c'est un suspect. Je ne me sentais plus en sécurité, à la merci d'une immense machine administrative. En Angleterre, je n'ai pas une épée de Damoclès au-dessus de la tête.* » Franck Jehanne, un ancien de l'industrie du luxe d'abord expatrié à New York avant de rejoindre Londres, apprécie lui aussi particulièrement le climat « business-friendly » de la capitale britannique. Ce jeune homme de 37 ans a récemment créé

avec son associé Brijesh Patel The Kalory Agency, une agence de communication visuelle (photographie, vidéo) au service des marques et des détaillants.

▶ Les formes juridiques

Franck Jehanne a choisi la « limited company » pour son entreprise, l'une des formes de société le plus souvent rencontrées à Londres, avec le statut de « self-employed » et le « partnership ». « *La limited company, société à responsabilité limitée, est la plus fréquente*, explique Alexandre Terrasse, un spécialiste en droit des sociétés chez Jeffrey Green & Russell. *Son avantage majeur est qu'elle ne coûte pas cher et que vous n'avez pas besoin de capital minimal obligatoire. C'est un fonctionnement simple et vous n'êtes pas responsable des pertes générées par la structure.* » Le statut de self-employed ne nécessite aucune obligation d'enregistrement. « *Il faut juste être immatriculé auprès de l'administration fiscale et être affilié au régime de sécurité sociale*, poursuit Alexandre Terrasse. *Tous les revenus générés sont imposables sur le revenu. Vous faites une déclaration annuelle, et si vous ne gagnez pas plus de 8 105 £ dans l'année, vous bénéficiez d'une franchise d'impôts. Seul hic : vous êtes responsable de l'ensemble des dettes. Quant au partnership, il réunit plusieurs self-employed sous une seule identité.* »

▶ Pas de barrières administratives

Ancienne salariée dans l'industrie pharmaceutique, Amélie Serre de Viviès pense qu'elle ne se serait jamais lancée dans la location de chapeaux de haute couture si elle était restée en France. « *Monter sa boîte en Angleterre est plus facile que dans l'Hexagone. Mes amis sont toujours en train de se plaindre de l'administration française, dit-elle. Ici tout est simplissime, vous avez des interlocuteurs accessibles et disponibles.* »

▶ Reconversion

Installée à Londres depuis plusieurs années déjà, Amélie a lancé The French Hat Company en janvier 2012, une boutique en ligne où l'on peut louer des chapeaux de mariage sur cinq jours à partir de 25 £, avec une livraison aller-retour offerte en France et en Angleterre. « *La passion du chapeau me suit*

depuis toujours, mais ma carrière était dans l'industrie pharmaceutique. L'arrivée en Angleterre a été un déclencheur. » Claire Collombin, qui a créé son entreprise de design de jardins, Claire Garden Design, à Londres après avoir suivi une formation de deux ans sur place, n'a pas non plus été freinée par des barrières administratives. « *L'Angleterre est le pays de la libre entreprise. La culture de l'assistanat n'existe pas et on vous encourage toujours. Ceux qui se reconvertissent et qui osent sont très bien vus, alors qu'en France, changer de carrière peut apparaître louche.* »

▶ Business plan

La plupart des entrepreneurs expatriés à Londres ne tarissent pas d'éloges sur la capitale britannique. Pourtant, des sociétés y font faillite chaque année. « *Le projet de départ a été primordial pour bien démarrer*, souligne Amélie. *J'ai fait une étude de marché, monté mon plan de financement et affiné mon projet. Cela m'a pris plus de six mois et permis de mieux cerner mon projet sur*

le marché anglais. » Irène Régnier, en charge de l'assistance à l'implantation des entreprises hexagonales sur le sol britannique à la chambre de commerce française de Grande-Bretagne, insiste en effet sur la nécessité de la mise en œuvre d'une étude de marché solide. Elle recommande également de faire appel aux services d'un avocat et d'un comptable. « *Pour créer votre structure, c'est rapide*, dit-elle. *Vous allez au greffe des sociétés britanniques, c'est fait en 48 heures. Mais l'avocat va vous sensibiliser à l'environnement juridique, vous expliquer toutes les étapes de la création de l'entreprise, et vous conseiller. Passez aussi par un comptable pour un plan comptable britannique, simple et moins réglementé qu'en France. Pour une petite structure, il faut compter environ 100 £ par mois.* »

▶ Les compétences d'abord

Contrairement à Olivier Cadic, François Rucquois envisage de rentrer un jour en France. Cet architecte de 27 ans est à la tête de

Choc culturel

De nombreux musiciens français partagent la crainte de ne pas trouver d'emploi avant de traverser la Manche. Stéphane Troadec, qui a ouvert à Londres l'école de musique Home Music Lessons, en fait souvent l'expérience. « *Les différences culturelles sont énormes*, exprime ce Breton de 40 ans installé en Angleterre depuis six ans. *Quand j'ai des candidats à l'expatriation au téléphone, beaucoup me disent qu'ils ne veulent pas venir s'ils n'ont pas au préalable un contrat de travail en bonne et due forme. Mais ça ne marche pas comme ça ici.* »

RCQ Architects, une petite société qu'il a montée après avoir travaillé dans un Caffè Nero de Londres. Ses études terminées, François était venu à Londres avec l'objectif d'y passer un trimestre et d'y perfectionner son anglais. « *Je ne voulais pas me lancer tout de suite comme archi car je parlais mal et j'avais peur de me discréditer*, raconte-t-il. *Après neuf mois au Caffè Nero, j'ai envoyé près de 800 candidatures spontanées à des agences d'architecture, j'ai eu huit réponses positives.* » Avec son statut de self-employed, François travaille aujourd'hui comme free lance pour plusieurs architectes et contractants. « *Je suis chef de projet, je gère du début à la fin. Avec deux ans d'expérience seulement, c'est exceptionnel. Ici, on te donne ta chance. Ce qui compte, ce sont tes compétences, pas une maîtrise parfaite de la langue de Shakespeare.* »

▶ Primordial réseau

Le succès de l'entreprise de Stéphane Troadec, qui accorde une grande place à la créativité de l'enfant et au développement personnel dans son enseignement musical, repose énormément sur le bouche à oreille. Il se déplace à domicile et travaille beaucoup au sein de la communauté francophone de Londres. « *Le réseau est primordial, c'est clair* », dit-il. « *Réseau, réseau, réseau*, martèle également François Rucquois. *Il faut connaître beaucoup de gens et faire parler de soi si on veut avoir des clients. À Londres, chacun se recommande d'autrui.* »

▶ Clientèle fidèle

Amélie Serre de Viviès, dont 80 % de la clientèle est basée à Londres, estime cependant qu'il est ardu de pénétrer les réseaux anglais. « *Ils sont gentils au premier abord, mais pour les fidéliser, c'est plus dur. Ils sont méfiants, ont leurs habitudes, leurs contacts. Mais quand le produit leur plaît, ils reviennent. Les Français et les Britanniques ne doivent pas être abordés de la même manière. Le bon côté, c'est qu'une fois qu'il est satisfait, un client anglais s'engage sur le long terme et peut devenir fidèle.* »

▶ Ne pas s'isoler

Claire Collombin estime que la solitude des débuts a été le plus gros obstacle qu'elle ait eu à surmonter. « *Au départ, je travaillais chez moi, donc je faisais des pauses pour faire une machine ou autre chose. Il m'était difficile d'être efficace de mon domicile. Depuis cinq ans, je loue des bureaux. On est plusieurs auto-entrepreneurs, travaillant dans des domaines divers mais confrontés aux mêmes problèmes. Ça m'a permis de m'organiser de façon très pro et d'avoir le soutien d'autres entrepreneurs.* »

Les facilitateurs de l'entrepreneuriat

▶ La Companies House

D'un point de vue administratif, rien de plus facile que de lancer son entreprise à Londres. Si vous décidez de monter une limited company, vous trouverez toutes les informations nécessaires sur le site de la Companies House, qui enregistre les nouvelles sociétés. Environ 2,2 millions d'entreprises sont recensées par Companies House, qui en incorpore plus de 300 000 chaque année. On ne peut pas imaginer site plus complet et vous y trouverez tous les conseils et formulaires dont vous avez besoin.

▶ La chambre de commerce

Fondée en 1883, la chambre de commerce française (CCF) de Grande-Bretagne joue un rôle important auprès de ses membres, patrons de grosses entreprises ou de PME, qu'elle met en relation à travers de multiples activités organisées tout au long de l'année. Elle compte plus de 600 membres. Ses missions : les aider à se développer et tisser des liens commerciaux entre la France et la Grande-Bretagne. La CCF, qui est en contact avec des dizaines d'experts capables de prodiguer des conseils sur mesure dans de nombreux domaines, représente un excellent outil pour développer son réseau.

▶ La British Library

Situé à Saint Pancras, le Business and IP Centre de la British Library a pour objectif de vous assister dans la création de votre entreprise au travers d'ateliers pratiques consacrés par exemple à la conception d'un business plan ou à la protection d'une marque. Le centre travaille avec de nombreux partenaires publics et privés qui vous feront bénéficier de leur expertise. Des entretiens individuels au Business and IP Centre, doté par ailleurs d'une excellente base de données, sont également possibles pour qui souhaite des conseils personnalisés.

▶ Et les autres...

Pour des recommandations d'ordre général sur le lancement d'une entreprise (financement, investissement, prêts, impôts, etc.), visitez le site du gouvernement Businesses & Self-Employed. Prenez en outre contact avec la Mission économique Ubifrance de Londres, qui publie des guides sur le monde des affaires au Royaume-Uni, mène des prospections commerciales dans le pays et conseille les entrepreneurs français

sur le marché britannique. Le UK Trade & Investment (UKTI), qui aide les sociétés du Royaume-Uni à se développer à l'international mais aussi les entreprises étrangères voulant investir en Grande-Bretagne, pourra également vous renseigner.

Infos pratiques

▶ **Companies House**
www.companies-house
.gov.uk

▶ **CCF de Grande-Bretagne**
www.ccfgb.co.uk

▶ **Business and IP Centre**
www.bl.uk/bipc

▶ **Businesses & Self-Empoyed**
www.gov.uk/browse
/business

▶ **Ubifrance**
www.ubifrance.fr (saisir
« Mission économique
Royaume-Uni » dans
le champ de recherche)

▶ **UKTI**
www.ukti.gov.uk

▶ **Et aussi...**
ukinfrance.fco.gov.uk
(rubrique « Investissez
au Royaume-Uni »)

Héliopoles ◼

Éditions Héliopoles
Directeur des collections : Christophe Brunet

Directrice des éditions : Zoé Leroy

Directrice artistique : Ewa Biejat-Roux

Ont collaboré à la réalisation de ce guide
Auteur : Samuel Pétrequin
Photographe : Laure Martineau
Cartographies : Éditerra
Secrétaire d'édition : Jean-Louis Biet
Recherches iconographiques : Geoffrey Sieffert
Création graphique couverture : Nicolas Hubert
Régie publicitaire exclusive et partenariats :
H2J Conseil – Thierry Hadjadj (h2j@videotron.ca)
Tél. Paris : +33(0)6 63 04 73 23
Tél. Montréal : +1(514)495 00 25

Diffusion Seuil - Distribution Volumen

Symboles

🏛	Musée/Monument
🗲	Point de vue
☁	Espaces verts
✈	Aéroport
⚓	Port maritime
🚆	Gare ferroviaire
🚊	Tramway
🚗	Déplacement en voiture
🚶	Zone piétonne
🍸	Restauration
🔒	Shopping
🍽	Restaurant
🕐	Temps de trajet
〰	Baignade

S'installer à Londres

1re édition
© Héliopoles
22, rue des Taillandiers
75011 Paris
☎ **01 78 10 38 99**
editeur@heliopoles.fr
www.heliopoles.fr

Dépôt légal
Janvier 2014
ISBN 978-2-919006-17-5
ISSN 2116-567X

Imprimé en Espagne

Achevé d'imprimer par MCC graphics (Espagne)
Dépôt légal : Janvier 2014